사라진 독자를 찾아서

BOOK
JOURNALISM

사라진 독자를 찾아서

발행일 ; 제1판 제1쇄 2018년 7월 25일 제1판 제2쇄 2022년 5월 23일
지은이 : 이성규
발행인·편집인 : 이연대 편집 ; 한주연
제작 : 허설 지원 ; 유지혜 고문 ; 손현우
펴낸곳 ; ㈜스리체어스_ 서울시 중구 한강대로 416 13층
전화 : 02 396 6266 팩스 ; 070 8627 6266
이메일 ; contact@threechairs.kr
홈페이지 ; www.bookjournalism.com
출판등록 ; 2014년 6월 25일 제300 2014 81호
ISBN ; 979 11 86984 66 6 03300

북저널리즘은 환경 피해를 줄이기 위해
폐지를 배합해 만든 재생 용지 그린라이트를 사용합니다.

BOOK
JOURNALISM

사라진 독자를 찾아서

이성규

; 저널리즘을 위기에서 구해 내기 위한 두 가지 과제가 저널리스트들에게 주어졌다. 한 가지는 수용자의 언어를 이해하는 것이고 다른 한 가지는 저널리즘에 대한 불신을 해소하는 것이다. 수용자는 먼저 다가오지 않는다. 선택하고 결정할 뿐이다. 언론이 새로운 미디어 환경에 적응하지 못하는 까닭은 변화하는 수용자의 존재를 인식하지 않기 때문이다.

차례

프롤로그　　　　　　다시 쓰는 저널리즘

언론사의 지위는 모순적이다. 민주주의라는 추상적이고 이상적인 가치를 실현해야 한다는 과제를 품고 있으면서 동시에 사적 기업으로서 이윤도 창출해 내야 한다. 이윤에 초점을 두면 가치가 위태로워지고 가치에 집중하면 생존의 기반을 위협받을 수 있다. 언론사의 위기는 이 같은 모순적 위상이 초래한 역동적인 게임의 결과다.

주기적으로 반복되는 경기 변동, 급변하는 기술적 조건은 저널리즘 조직이 넘어서야 할 외부 조건이다. 하지만 두 가지 외부 요인은 태풍이 지구 생태계에 미치는 영향처럼 순기능과 피해를 동시에 일으킨다. 기존 저널리즘 조직의 경제적 위상을 뒤흔들어 민주주의의 위기론을 낳기도 하지만 기존의 불안한 생태계를 정화시키고 힘을 분산시킨다는 점에서 긍정적인 효과를 불러오기도 한다.

지금의 국면은 태풍이 휘몰아치며 서서히 새 질서가 생성되는 과정으로 인식될 필요가 있다. 수십, 수백 년 된 나무가 강풍에 뿌리째 뽑혀 나가겠지만, 그 자리엔 새 생명들이 자라날 것이고, 전혀 다른 생태계 질서도 등장하게 될 것이다. 부정적 측면만 들여다볼 것이 아니라 태풍이 지나간 이후 돋아날 긍정의 싹에 관심을 가질 필요가 있다.

이제는 새로운 질서 속에서 탄생하는 전혀 다른 수용자의 선호를 충족시킬 수 있는 접근법이 필요하다. 기성 언론이 기존의 문법과 토대에 집착하는 동안 미디어 스타트업들은 새로운 접근법을 실험해 왔다. 미디어 스타트업들은 세 가지 측면에서 전통 언론과 다른 길을 걸어가고 있다.

첫 번째는 수용자 우선주의Audience First Strategy다. 미국 미디어 스타트업 악시오스Axios는 창업 선언문에서 밝히고 있듯, 수용자가 항상 옳다는 전제를 잊지 않는다. 현명한 수용자를 위해 저널리즘이 어떤 역할을 해야 하고 어떤 정보를 생산하고 전달해야 하는지를 전략의 최우선 순위에 올려놓는다. 현명한 수용자들이 즐겨 듣는 방식으로, 일상 언어를 활용해 이해하기 쉬운 스토리텔링을 고안한다. 수용자의 현명함을 부정하고 수용자의 사고를 뜯어고치려 했던 전통 언론사와는 출발선부터 다르다. 이 과정에서 내러티브 혁명에 준하는 뉴스 포맷의 혁신이 일어나고 있다. '기사의 형태는 반드시 이래야 한다'는 고정 관념 따위와 과감하게 결별한다. AP의 역逆피라미드 기사 포맷이 당대의 경제적 조건과 기술적 변화를 수용하며 탄생했듯, 새로운 미디어 스타트업들도 변화한 환경에 적합한 최적의 해법을 찾아내기 위해 고군분투하고 있다.

두 번째는 문제 해결형 접근법이다. 미디어 스타트업은 수용자가 당면한 문제를 탐색하고 발견한 뒤 이를 해결하는 과정에서 저널리즘 기법을 동원한다. 대다수의 수용자들은 정보 과잉의 시대에 신뢰할 수 있는 정보를 추려 내는 데 어려움을 겪고 있다. 하지만 전통 언론사들은 수용자의 이러한 문제를 해결하는 데에 여전히 인색하다. 수십 년 동안의 경험을 통해 체득한 저널리즘 기법을 일거에 뒤집어야 하는 일이니 머뭇거릴 수밖에 없다. 반면, 새롭게 등장하는 미디어 스타트업들은 이 같은 유산legacy으로부터 자유롭다. 축적된 경험과 노하우는 부족할지 몰라도, 새로운 저널리즘 문법을 써 내려가는 일에 거리낌이 없다.

세 번째는 본질의 재정의다. 미디어 스타트업은 저널리즘이 무엇인가라는 근본적인 질문을 던지기를 망설이지 않는다. 저널리즘은 무엇이어야 한다는 당위에 얽매이지도 않는다. 그들의 행위와 결과물이 곧 저널리즘의 새로운 정의가 되고 당위가 된다.

저널리즘 조직이 생존을 위해 갖춰야 할 수익 모델에서도 재정의 작업은 계속된다. 버즈피드BuzzFeed는 직접 상품 생산 영역에 뛰어들었다. 심지어 전통 언론사들도 본질의 재정의에 나서고 있다. 뉴욕타임스는 식료품 배달 사업을 시도했고 워싱턴포스트는 소프트웨어를 개발하고 있다.

국내에서는 네이버 아웃링크[1] 논쟁이 격화했다. 언론사들은 뉴스 제공에 대한 대가로 지급하는 비용인 전재료를 삭감하지 않는 동시에 아웃링크를 시행할 것을 요구한다. 반면 네이버는 아웃링크를 도입할 경우 전재료를 지불할 수 없다고 맞서고 있다.

이 논쟁이 촉발된 배경에는 언론사와 플랫폼 사업자 간의 뿌리 깊은 불신이 있지만, 근본적인 원인은 격변하는 미디어 환경에서 저널리즘이 어떻게 생존할 수 있는가 하는 문제가 있다. 광고주와 소비자가 만날 수 있는 접촉면을 신문이 독점하던 시대엔, 신문 권력 견제가 당대의 중요한 쟁점이었다. 밤의 대통령, 제4부라는 수식어는 신문이 한때 가졌던 위상을 상징한다. 하지만 1990년대 중반 이후 인터넷이 도입되고, 2000년대 초부터 포털이 성장하면서 신문의 위상은 하염없이 추락했다. 언젠가부터 신문사는 포털의 콘텐츠 공급자로 전락하게 됐고, 포털의 제어 시스템에 따라 콘텐츠 생산이 좌우되는 비극적인 상황을 맞았다.

광고주와 소비자 사이에 신문이나 방송이 아닌 플랫폼이라는 새로운 행위자가 끼어들게 되면서, 광고 시장을 신문과 방송이 지배하던 세상은 자취를 감추게 됐다. 포털과 글로벌 플랫폼 기업들은 고도화된 기술을 무기로 빠르게 광고 시장을 잠식했고, 이 과정에서 전통 언론사들은 수익성의 위기에 내몰렸다.

남은 시간이 그리 많지 않다. 거대한 파고를 넘어서기 위해서는 전환 비용이 필요하다. 비용을 감내할 여력이 없으면 버텨 내지 못하고 사멸할 수 있다. 2017년 메러디스 코퍼레이션에 매각된 시사 주간지 타임, 중국계 의사에게 팔린 미국 서부 유력지 로스앤젤레스 타임스 등은 파고를 넘지 못하고 고꾸라진 사례라고 할 수 있다. 매각이라는 형태로 이름은 보전할 수 있게 됐지만, 창업 초기부터 지향하던 저널리즘 가치를 지킬 수 있을지는 장담하기 어렵다. 이런 사례들은 앞으로도 계속 나타날 가능성이 높다.

국내 저널리즘 조직들이 이들의 전철을 밟지 않으려면 비용을 감당할 수 있을 때 전환의 흐름에 올라타야 한다. 당장 눈에 보이는 성과가 도드라지지 않을지라도 새로운 수익 모델을 실험하고 수익을 다각화하기 위한 노력을 기울여야 한다. 기술을 포용하고 내재화하려는 시도를 망설이지 않아야 한다. 아웃링크 논쟁에 매몰될 것이 아니라 근본적인 처방을 찾기 위해 모든 에너지를 쏟아부어야 한다.

이 책은 국내 저널리즘 조직에 던지는 경고의 메시지다. 단지 경고에 그치지 않기 위해 전환에 성공했다는 평가를 받고 있는 해외 사례를 분석해 취할 것과 버릴 것을 구분했다. 전통 언론사에 머물지 않고 미디어 스타트업까지 언급한 까닭은 재정의의 범위가 그만큼 방대하다는 점을 강조하기 위해서다. 굳이 이론적인 논의까지 끌어온 이유도 마찬가지다.

현재의 저널리즘 지식 체계는 전체 저널리즘의 역사에서 일부 시간대만을 점유했던 철학적, 이론적 사유의 결과일

뿐이다. 통시적으로 관찰하면, 그러한 지식 체계의 고정 관념에서 비교적 쉽게 벗어날 수 있다. 여기에 정보 및 기술 사회의 이론적 논의를 보태면 저널리즘의 내용을 풍성하게 살찌울 수 있는 기회가 열린다.

　　다소 무모하게 결합시킨 측면이 있다면 전적으로 필자의 무지 탓이다. 그럼에도 감행한 것은 지속 가능한 저널리즘에 대한 애착, 저널리즘이 전통적인 규범 논리에만 갇혀 있어서는 거대한 전환의 조류를 이겨 낼 수 없다는 문제의식 때문이다. 저널리즘이 더욱 방대한 이론적, 실천적 영역과 결합함으로써 다시금 희망의 언어로 쓰일 수 있기를 기대해 본다.

1   대중의 소멸과 대중 매체의 종말

대중에서 점멸하는 개인으로

모든 미디어는 환경의 변화를 대중 매체라는 관성적 틀에서 바라보고 정의한다. 지금의 변화한 미디어 생태계를 이해하기 위해서는 먼저 100여 년 전 형성된 대중 매체의 신화와 그 신화가 만들어 놓은 정의에서 벗어나야 한다.

대중 매체는 매스mass와 미디어media라는 단어의 조합이다. 이 익숙한 합성어를 우리는 미디어를 통칭하는 용어로 쉽게 사용하고 있다. 매스 미디어 혹은 매스컴, 즉 대규모의 수용자audience를 대상으로 하는 일반적인 미디어 형태를 이 범주 안에 포함시키고 있지만 정작 우리는 대중이 누구인가에 관해서는 관심을 갖지 않는다. 그 대중이 여전히 주체로서 존재하고 있느냐는 질문도 던지지 않는다.

서구 근대 사회에서 대중은 상스럽고 무지한 무리라는 부정적 의미의 다중multitude과 사회적 연대가 가능한 집합이라는 긍정적 의미가 혼재되어 있었다.[2] 그러다 1920년대 대량 생산mass production 체계가 확립되면서 대중이라는 의미에 또 한 번 혼란이 발생했다. 기존의 긍정적 의미가 탈색되고 수량적 의미로 가치가 격하된 것이다. 19세기 말에서 20세기에 걸친 자본주의의 변동, 테일러리즘Taylorism과 포디즘Fordism으로 이어지는 생산 관계의 급격한 변화로 대중의 의미는 정치 사회적 집단에서 수량적 다수 집단으로 변화하게 된다.

    대중 매체라는 단어 또한 대량 생산 체제가 자리 잡힌 1920년대 이후에야 보편적으로 사용되기 시작했다. 이는 천만 권 이상의 책들에서 키워드를 분석할 수 있는 도구인 구글 라이브러리의 엔그램 뷰어를 통해서도 확인할 수 있다. 매스 미디어라는 표현은 1930년대 이후에 이르러서야 하나의 미디어 용어로 다뤄지기 시작했다. 1800년대 간간이 매스 미디어라는 표현이 등장하긴 했지만 보편적으로 사용됐다고 보기는 어렵다.

    미디어와 결합한 대중의 의미는 대량 생산 체제의 소비자로서 수량화된 대규모 균질 집단으로 이해됐다. 매스 미디어는 소비가 위기를 맞을 때마다 다방면으로 크게 혁신됐다. 수요와 소비를 통제하지 못하면 대량 생산과 유통을 제어할 수 없기 때문이다. 다양한 제품과 서비스를 전국적으로 소개하여 수요를 자극하고 강화할 수단이 필요했고 소비자의 기호와 행동에 관한 정보를 수집할 수단도 있어야 했다. 그 결과 시장 조사(1911년), 신문·잡지 부수 조사 기구(1914년), 가정 방문 인터뷰(1916년), AC닐슨의 방송 시청률 측정기(1935년), 갤럽 조사를 비롯한 표본 연구(1936년)가 차례로 등장했다.[3] 결과적으로 대중 매체라는 정의 속에는 대중을 제어하기 위한 엘리트의 의식이 반영돼 있다고 볼 수 있다. 엘리트의 통제에서 탈주하려는 대중을, 정치적 지배와 경제적 통제의 체계 속에

다시 묶어 두고 질서화하기 위한 장치가 바로 대중 매체였다.

그러나 대중은 시장의 기대와는 다르게 자율성을 확보하는 방향으로 끊임없이 질주해 왔다. 대중은 자율성의 기반 위에서 자신만의 견해를 획득해 가면서 다양한 주체로 분화되기 시작했다. 그 흔적은 문화비평가 오르테가 가세트Ortega Gasset의 진술에서 또렷하게 나타난다.

> "적어도 지금까지의 유럽 역사에서 일반 대중이 매사에 어떤 견해를 자신이 갖고 있다고 생각한 적은 한 번도 없었다. 신앙과 전통, 경험, 격언, 그리고 습관적인 생각은 갖고 있었을지 모르지만, 정치나 문학에 대한 이론적인 견해를 자신이 갖고 있다고 생각하지는 못했다. (…중략…) 그에 반해 오늘날 평균인은 세상에서 일어나는 그리고 일어날 모든 일에 대해 매우 분명한 견해를 갖고 있다. 따라서 그들은 예전만큼 경청하지 않는다. 필요한 모든 것에 관해 자신의 견해를 이미 갖고 있는데 들을 필요가 있겠는가? 이제는 들을 때가 아니라 판단하고 판결하며 결정할 때이다."[4]

대중은 더 높은 자율성과 다양성을 바랐지만 미디어 환경은 그렇지 않았다. 미국 의회의 통계를 보면, 미국에서 발행된 신문 브랜드의 수는 1910년 1만 7083개로 정점을 찍은 뒤 서서히 감소하기 시작했다. 특히 신문 체인의 증가로 전체 매체의 수가 줄었고, 다양성도 위축되었다.[5] 단일 도시 내 신문 간 경쟁이 증가하는 상황에서 수익성을 강화하기 위한 신문 체인 형태의 인수·합병이 늘어난 탓이었다. 균질적인 대상으로 상정된 대중에게 효율적으로 도달하기 위해 미디어의 다양성은 희생되었다.

그러나 디지털 기술은 대중의 기대를 폭발시킨 기폭제로 작용했다. 기계 복제에서 디지털 복제 시대로 넘어가면서 정보는 폭증했다. 디지털 기술은 미디어 진입 장벽을 낮췄고, 자율성과 다양성을 갈망하던 대중은 이를 마음껏 향유했다. 대중은 스스로 매체를 만들고, 메시지를 유통했다. 정보 습득의 경로 의존성도 해체되기 시작했다. 엘리트들의 계몽 체계에서 벗어나려는 욕망의 원심력은 디지털 기술과 결합하면서 스스로 진화하기 시작했다. 대중의 기대에 역행하며 효율적 통제에 집중하던 대중 매체는 점차 위기에 빠질 수밖에 없었다. 서서히 추락하던 대중 매체의 신뢰도는 디지털 단계에선 급전직하하는 수모를 겪었다. 대중을 통제의 대상으로 삼는 구체제적 언론에 대한 반란이 디지털이라는 무기를 통해 실현되기 시작한 것이다.

저널리즘은 미디어 환경의 변화에만 주목할 것이 아니라 대중이라는 주체의 변화에 관심을 가져야 한다. 1920년대 이후의 대중과 디지털 환경의 대중은 서로 다른 위상과 권력을 갖고 있다.[6] 엘리트의 대척점에 서 있던 과거의 대중은 더 이상 존재하지 않는다. 균질적이고 획일적인 집단으로서의 대중도 없다. 견해와 개성을 지닌 개인이 존재하고 이들이 네트워크로 연결돼 있으며 협력을 통해 시너지를 일으킨다. 블록체인과 같은 P2P peer to peer 기술이 사회의 기반으로 자리 잡는 흐름은 대중의 소멸을 예견하는 징후다. 이제 대중은 분산된 개인들이 연결될 때 나타났다가 흩어지면 사라지는 점멸적 존재로만 남게 될 것이다.

점멸적 존재로서의 개인 혹은 대중에게 획일적인 정보는 무용하며 무가치하다. 엘리트의 소비나 통치 제어를 위한 입에 발린 교화는 더 이상 작동하지 않는다. 그들의 삶에 유용하며 그들의 권력 증진에 기여할 수 있는 맞춤형 정보가 절실하게 부상하는 이유와 근거가 여기에 있다. 연결에만 주목한다면 여전히 획일적 정보의 생산에만 집착하겠지만, 개인에 초점을 맞춘다면 그들의 다양한 관심과 이익에 에너지를 집중할 수 있다. 연결성과 개인화는 떨어져 있는 것이 아니라 공존하고 있다는 사실을 잊어서는 안 된다.

알고리즘, 연결 혹은 단절의 기술

미디어가 변화한 디지털 세계에서 점멸된 개개인을 찾아내고 접근하기 위해서는 알고리즘 기술을 활용할 수 있어야 한다. 알고리즘 기술은 개개인의 다양한 관심과 이익을 충족할 수 있다. 인공지능의 기반 기술이라 할 수 있는 기계 학습machine learning은 인간 사회를 적절한 군집으로 나눈다. 이미지 학습으로 개와 고양이를 분류하듯, 인간 사회를 군집화clustering하고 분류classifying한다. 이 같은 작업은 균질적이고 획일적인 양의 대중이 아닌, 그 안에서 비슷한 경향과 개성으로 분산된 개인들을 찾아낸다.

하지만 동시에 알고리즘은 사회의 단절을 가속화하는 원인으로 지목받고 있다. 알고리즘은 중간 지대 혹은 중도라는 모호한 집단을 학습을 통해 쪼개고 나누어 어떤 영역으로든 편입시키고 그 결과 분극화polarization를 촉진한다. 알고리즘이 단순히 비슷한 개개인을 찾아내는 것에서 그치는 것이 아니라 이념과 가치관, 성향에 따라 나뉜 사회를 더 극단으로 치닫게 한다는 것이다.

더 세밀한 군집화를 위해서는 더 많은 사용자의 데이터가 생산되어야 한다. 플랫폼에 자리 잡은 알고리즘은 이 과정에서 데이터를 뽑아내는 흡입기의 역할을 도맡는다. 알고리즘은 그렇게 흡입한 모든 데이터를 새로운 생산의 재료로 변환한다. 매일매일 축적되는 사용자들의 로그를 흡입해 군집화와 추천 시스템의 원료로 재가공한다. 자잘한 찌꺼기마저

살려 수익으로 변환시켜 버린다. 일례로 페이스북은 기계가 쪼개 놓은 16억 명의 거대한 커뮤니티다. 데이터로 사용자를 분류하고, 그렇게 나뉜 그룹끼리는 정보의 교류가 차단된다. 시민운동가 톰 스타인버그Tom Steinberg의 발언을 보자.

> 나는 브렉시트 승리를 축하하는 사람들을 페이스북에서 열심히 찾았다. 그러나 필터 버블은 너무 강력했다. 페이스북의 맞춤형 검색까지 활용했지만 행복하다고 말하는 사람을 발견할 수가 없었다. 이 나라의 절반 이상이 분명 오늘을 '환희에 찬 날'이라고 했음에도, 그리고 그들이 말하는 것을 내가 이렇게 찾고 있음에도……[7]

동일한 현상은 미국에서도 목격됐다. 트럼프를 지지했지만 성향을 밝히지 않은 '샤이 트럼프Shy Trump'들은 그들의 고립된 네트워크 속에서 허위 정보를 퍼 나르며 공감을 확대해 나갔다. 이들이 소비하는 정보는 다른 시선에 포착되지 못했다. 거대한 네트워크 속에 존재했지만 외따로 떨어진 공간에 독립적으로 자리 잡고 있었다.

페이스북의 사례에서 알 수 있듯, 알고리즘은 사회를 연결하는 동시에 고립시킬 수 있다. 수용하기 불편한 팩트는 선택적 지각selective perception에 따라 거부되거나 배척된다. 배척된 정보의 소스는 그들의 뉴스피드에 다시 등장하지 않는다. 사용자들의 확증 편향은 강화된다. 다른 의견과 교류하는 과정이 소멸됨에 따라 사용자들의 일상은 자신의 입장을 옹호하는 데 유리한 가짜 뉴스fake news에 지배당하기 쉽다. 허위 정보가 광범위하게 유통된다 할지라도, 알고리즘이 차단한 공간에서 사용자들은 그 진위를 확인하고 검증하기 어렵다. 그모든 일이 벌어지는 환경이 페이스북을 위시한 소셜 미디어다. 페이스북의 지배력이 강화될수록 팩트의 위상은 추락할 수밖에 없다.

알고리즘의 미디어 권력

디지털화가 진행되는 환경에서 알고리즘은 소셜 미디어뿐 아니라 저널리즘 또한 외면할 수 없는 기술이 되었다. 알고리즘은 단순히 독자를 찾아내는 기능을 넘어서 뉴스를 만들어 내는 역할을 하고 있다. 알고리즘과 디지털 미디어[8]는 떼려야 뗄 수 없는 긴밀한 관계를 맺고 있다.

알고리즘은 자본주의의 프레임 속에서 비효율성을 걸어 내는 방향으로 진화한다. 대부분의 개발 주체가 기업이기 때문이다. 미디어 또한 하나의 비즈니스 구조를 갖춘 기업이라는 점에서 사정이 다르지 않다. 미디어 기업 내부의 생산 과정에 비효율적인 요소가 존재한다면, 효율성을 증대시키는 방향으로 대체해 나갈 수밖에 없다. 뉴스나 콘텐츠의 생산에 알고리즘이 관여하게 된 계기도 마찬가지다.

알고리즘은 미디어의 '보이지 않는 손'으로 작동하면서 미디어 생태계의 모습을 조금씩 변화시키고 있다. 금융권처럼 알고리즘이 멈춰 버리면 당장 사달이 나는 상황까지는 치닫지 않았다. 하지만 그 비중을 간과한다면, 미디어가 생산한 콘텐츠가 사용자들에게 제대로 전달되지 못하는 상황이 닥칠 것만큼은 분명하다.

뉴스를 생산하는 일련의 과정에서 알고리즘은 인간의 보조자로서 훌륭한 역할을 수행하고 있다. 미디어에서 알고리즘이 활용되는 영역은 일일이 열거하기 힘들 만큼 폭넓다. 2016년 초 대선 국면에서 SBS와 서울대 로봇 저널리즘 연구팀이 개표 현황 기사를 알고리즘으로 작성한 사례는 익히 알려졌다. 서울대 연구팀은 이전에도 프로 야구 기사 생산을 알고리즘에 맡긴 적이 있다. AP와 오토메이티드 인사이트Automated Insights는 2014년부터 증권 관련 기사를 자동 생산해 왔다. 알고리즘 솔루션 업체 내러티브 사이언스Narrative Science가 뉴스 생산 알고리즘을 기업의 PR 자료 제작에 응용할 만큼 뉴스 제작 분야의 알고리즘은 기술적으로 정교해지고 있다.

뉴스 자동 요약에 알고리즘이 적용된 시점도 2014년 쯤이다. 비록 2017년 6월 문을 닫긴 했지만 야후가 썸리Summly를 인수한 뒤 선보인 '야후 뉴스 다이제스트Yahoo News Digest'는 알고리즘이 뉴스 요약 부문에서 어떤 성과를 낼 수 있는지 증명했다. 무엇보다 뉴스 자동 요약을 위해 날씨, 통계 등 다양한 외부 정보를 결합함으로써 요약 정보의 질적 향상을 알고리즘으로 처리할 수 있는 가능성을 보여 줬다. 카카오 또한 다음 뉴스에 이와 유사한 알고리즘을 도입하여 뉴스 자동 요약 기능과 'MC2Media Contents Cluster'라는 키워드 분석 서비스를 제공했다.[9]

알고리즘은 저널리즘의 고유 영역이었던 팩트 체크fact check도 넘보고 있다. 기사의 문장을 분석해 사실과 사실이 아닌 것을 판별하고 사용자들에게 결과를 알려 준다. 미국 대학생들이 페이스북 메신저의 봇bot 형태로 운영하고 있는 뉴스봇NewsBot[10]은 기사 주소만 입력하면 알고리즘이 자동으로 기사의 편향 정도를 분석해 준다. 이외에도 텍스트를 영상으로 자동 전환하는 위비츠Wibbitz의 알고리즘은 영상 포맷의 호황을 맞아 뉴욕타임스, 텔레그래프 등 여러 미디어가 앞다퉈 채택하고 있는 기술이다.[11]

알고리즘은 뉴스와 콘텐츠를 배열하는 영역에선 이미 중요한 위상을 차지하고 있다. 네이버의 에어스Airs, 카카오의 루빅스RUBICS는 사용자들의 뉴스 소비에서 결정적인 행위자다. 사용자가 선호하는 뉴스를 알고리즘이 추천하고 이를 소비한 데이터가 다시 알고리즘의 성능을 향상시키는 피드백 루프feedback loop도 원활하다. 넷플릭스가 사용자의 영상 소비 데이터를 바탕으로 알고리즘 추천을 더욱 정교하게 만든 것과 비슷하다. 이에 더해 네이버는 2017년 7월 알고리즘의 뉴스, 콘텐츠 배열 범위를 더욱 확대하겠다고[12] 발표했다.

알고리즘이 미디어 속으로 더 깊숙이 침투할수록 미디어가 콘텐츠를 생산하고 유통하는 방식은 변한다. 자연스럽게 작업 과정의 파괴와 혁신 그리고 전환이 일어난다. 반복적이고 주변적인 업무는 알고리즘이 맡고 기자와 콘텐츠 생산자들은 보다 품질이 높은 결과물을 생산해 내는 데 집중하게 될 것이다. AP는 기사 제작 과정에 알고리즘을 도입한 이후 20퍼센트의 잉여 시간을 확보할 수 있었다고 밝혔다.[13] 그간 보도되지 않았던 분야를 다룬 기사를 알고리즘이 내보내는 등 부가적인 효과도 거두고 있다.

하지만 알고리즘이라는 보이지 않는 손의 개입은 전통적인 기자의 역할에 혼란을 불러오고 있다. 알고리즘은 단순 보도나 취재 영역에서 기자의 몫을 축소한다. 추가 인력 없이도 많은 기사를 생산할 수 있기 때문에 언론사의 고용 유발 효과도 떨어뜨린다. 광고 거래에서도 알고리즘의 관여도가 높아지고 있어 광고 영업 등 수익 부문 종사자도 영향을 받을 것으로 보인다. 알고리즘이 작업을 훌륭하게 수행할수록 사람의 관여 정도가 줄어들 수밖에 없다. 미디어 업계가 규칙적인 반복 업무를 자동화하는 데 탁월한 성능을 과시해 온 머신러닝 알고리즘을 반기면서도 두려워하는 까닭이다.

데이터 전쟁과 저널리즘의 위기

머뭇거리고 있을 시간은 많지 않다. 그동안 저널리즘은 대중과 디지털 환경의 변화를 외면하면서 빠르게 독자층을 잃어 왔다. 그 결과 오랜 기간 구독료와 광고료에 의존해 왔던 저널리즘의 수익 모델은 위기를 맞고 있다. 대부분의 신문사가 디지털 뉴스를 제공하지만 디지털 광고 수익은 하락한 매출과 영업 이익을 대체할 수 있을 만큼 크지 않다. 특히 한국은 언론사 홈페이지에 접속해 뉴스를 읽는 독자의 비율이 낮은 편이다. 영미 언론은 높게는 40~50퍼센트, 낮아도 20~30퍼센트 수준이지만, 한국 언론은 2018년 기준 5퍼센트에 그치고 있다.[14]

점멸적 개인이라는 새로운 독자에 빠르게 대처하면서 미디어로서의 역할을 선점한 것은 저널리즘이 아니라 포털과 SNS 같은 플랫폼 사업자들이었다. 이제 언론사는 포털과 SNS의 도움 없이는 사용자 개개인에게 도달하기 어려운 위험한 상황에 놓여 있다. 미국 디지털 광고 시장의 60퍼센트 이상을 구글과 페이스북이 잠식하기까지는 그리 오랜 시간이 필요하지 않았다.[15] 이미 언론사는 광고 수익을 확보하는 경쟁에서 도태됐다. 광고주의 요구를 충족시키기 위한 데이터에서 멀어졌기 때문이다.

　　플랫폼이 선점한 경쟁 구도는 하루 아침에 뒤집힐 수 없다. 모든 산업이 그렇듯 플랫폼 또한 독점을 지향하지만, 구축 방식은 전통 산업과 다르다. 대량 생산 시대 독점은 진입 장벽을 치며 경쟁을 제한하는 형태로 사회적 후생을 저하시켰지만 오늘날 플랫폼 산업은 그렇지 않다. 독점이 발생해도 가격이 높아지지 않으며 소비자 후생이 떨어지지 않는다. 구글이 이메일 시장을 독점했다고 해도 갑작스럽게 이메일이 유료로 전환되거나 서비스의 질이 떨어지지 않는 것처럼 말이다.

　　오히려 독점은 상품 이면에서 구축된다. 더 이상 제품 생산 비용은 진입 장벽이 되지 못하며 데이터의 양이 핵심적인 지대地代가 된다. 플랫폼은 다양한 버티컬vertical 서비스 영역에서 사용자를 확보한 뒤 이를 네트워크로 연결한다. 이러한 작업을 거듭 반복하면 거대한 독점의 생태계가 구축된다. 독점의 원료는 데이터이고, 이렇게 구축된 네트워크는 견고한 진입 장벽이 된다. 플랫폼이 구축한 독점의 생태계에선 데이터 접근의 불평등이 일반화한다. 모든 데이터가 특정 플랫폼으로 모이면서 통제력이 한곳에 집중되고, 수집된 데이터의 양이 늘어날수록 독점력은 확대된다. 알고리즘의 정교함은 더 많은 데이터를 통해 구현되고 이는 다시 광고 수익의 근간이 된다.

　　현재 상황에서 언론사가 할 수 있는 일이란 데이터를 넘겨준 대가로 회수하는 기대 이하의 수익뿐이다. 광고라는 수익 모델은 이제 독점적 플랫폼 기업이 호혜적으로 남겨 놓은 파이의 일부만을 나눠 먹는 구조로 재편됐다. 해외 대형 언론사들이 디지털 구독료를 기반으로 수익 모델을 전환하는 배경도 이와 관련이 깊다. 지금 같은 상황에서는 데이터의 접근에 대한 불평등을 완화할 수 있는 방법은 많지 않다. 이미 플랫폼과 경쟁하기에는 보유하고 있는 데이터의 양이 절대적으로 부족하다.

현재로서는 플랫폼이 사용자 데이터를 사유화하려는 야심을 제도적으로 통제하는 작업이 필요하다. 머신러닝의 대가 페드로 도밍고스Pedro Domingos는 플랫폼이 수집한 사용자 데이터를 사용자의 판단에 따라 언론사가 활용할 수 있는 길을 열어 두어야 한다고 주장한다. 그는 '데이터 유니언Data Union'이라는 일종의 데이터 조합을 설립해 사용자 데이터를 관리하는 대안을 제시하고 있다.[16]

궁극적으로 데이터 귀속권을 사용자에게 돌려주기 위해서는 사용자가 플랫폼과 대등한 협상력을 갖춰야 하지만 개인이 플랫폼에 대항하는 일은 불가능에 가깝다. 조합체를 통해 사용자 개개인에게 데이터 소유권을 귀속시키면, 추후 사용자의 판단에 따라 언론사도 데이터를 활용할 수 있는 길이 열린다. 이는 수용자의 알 권리뿐 아니라 데이터 빈곤의 수렁에 빠진 언론사를 위해서도 유리한 정책이다.

하지만 이러한 시스템이 실현 가능한지 불확실한 상황에서 언론사는 스스로 위기를 해결해 나갈 현실적인 방안을 모색해야 한다. 선택지는 크게 두 가지다. 광고 외 수익 모델을 발굴하고, 새롭게 등장하는 기술에 빠르게 적응하는 것이다. 광고 외 수익 모델로는 최근 영미권에서 다방면으로 시도되고 있는 디지털 구독 모델이나 멤버십 모델을 검토할 수 있다. 크라우드 펀딩이나 후원 모델도 가능하다. 새로운 수익 모델 발굴은 새로운 기술 도입과 병행돼야 한다. 네트워크 효과에 따른 플랫폼 기업의 독점적 위상은 신생 플랫폼이나 기술이 등장하게 되면 언제든 흔들릴 수 있다. 지금과 같이 남은 파이를 나눠 먹는 상황을 반복하지 않으려면, 새로운 기술로 열리게 될 시장 진입 기회에 기민하게 반응해야 한다.

뉴스는 상품인가 서비스인가

정보는 좋은 상품이 되기 힘들다. 좋은 상품이란 본래의 가치를 보존할 수 있어야 하고 수량이 증가함에 따라 가격도 비례해서 증가한다. 하지만 정보는 그 당시의 시공간적 맥락 속에서 존재할 때만 희소한 가치를 가진다. 새로운 정보가 나타나면 끊임없이 가치가 감소하고 의미가 퇴색된다. 가치를 빛나게 해줄 독창성이 시공간적 맥락의 변화 속에서 보존될 수 있어야 하지만, 그런 경우는 드물다.

하루에도 수만, 수십만 건씩 생산되는 뉴스가 역동적으로 변화하는 세계에서 가치를 상실하지 않고 남아 있기란 불가능하다. 생산 당시의 시공간적 맥락 속에서 반짝 빛이 날 수는 있겠지만, 너무나도 빠른 감가상각의 속도 속에서 뉴스는 상품으로서 생존할 수 없다. 물론 '에버그린evergreen 콘텐츠'처럼 시간이 지나도 지속적으로 소비되는 사례도 있다. 그러나 예외적이다.

뉴스의 이와 같은 특성을 고려할 때, 언론사는 서비스 기업으로 보아야 적절하다. 언론사는 뉴스라는 상품을 판매하는 곳이 아니라 뉴스를 매개로 서비스를 제공하는 기업이다. 사회학자 제임스 베니거James Beniger는 이에 대해 "정보 상품과 정보 서비스, 미디어와 콘텐츠의 융합이 시작됐다. 정기 구독되는 낱장식 정보지가 제공하는 것은 제품이 아니라 서

비스에 가까웠다"고 설명한다.[17]

모든 뉴스가 상품으로서의 가치를 갖지 않는 것은 아니다. 하지만 대부분의 뉴스는 그렇다. 역사적으로 언론사는 후원을 받거나, 정보를 매개로 독자와 광고주를 연결시켜 주는 서비스로 수익을 얻어 왔다. 독자들이 읽거나 접근하기 쉽도록 정보를 종이나 전파에 담아 문 앞까지, 귀 옆까지 배달함으로써 돈을 벌어 왔다. 구독 또한 쉽고 편리한 접근이라는 정보 서비스에 대한 대가 지불 방식으로 해석할 수 있다.

시대가 바뀌었다. 이제 뉴스는 원자화된 형태로 유통된다. 원자화된 뉴스는 그 자체로 가치를 보전하기 어렵다. 외부 플랫폼에 의존할수록 자체적인 정보 서비스 구성은 어려워진다. 뉴스 자체의 상품적 성격에 집착할수록 미디어의 미래는 나락으로 빠져들 수밖에 없다. 뉴스를 매개로 어떤 서비스를 제공할 것인가를 고민하지 않는 한, 수익 창출의 기회는 요원하다. 가치를 보전할 수 없는 상품에 돈을 내는 이들은 후원자이거나 기부자뿐이다.

서비스로서의 저널리즘

디지털 시대 정보와 지식 생산량의 증대는 서비스 저널리즘을 다시 불러내고 있다. 정보는 차고 넘치지만 믿을 만한 정보는 여전히 부족하다. 독자들의 탐색 비용은 낮아질 기미가 보이지 않는다. 검색은 신뢰할 수 있는 정보를 전달하기에 부족해 보인다. 검색 엔진 최적화Search Engine Optimization와 검색 어뷰징 abusing은 검색 본연의 역할을 수행하는 데에 걸림돌로 작용하고 있다. 검색이 플랫폼 사업자의 해법이라면 서비스 저널리즘은 콘텐츠 생산자의 대안이다. 서비스 저널리즘은 독자들이 일상에서 마주하는 수많은 문제를, 전문성과 신뢰를 갖춘 기자가 해법을 찾아 주고 도움을 제공하는 저널리즘 장르다.

사실 서비스 저널리즘이라는 개념 자체가 새롭지는 않다. 유형의 계보는 가깝게는 1960년대, 멀게는 1900년대 초반까지 거슬러 올라간다. 1938년 게재된 뉴욕타임스의 〈금주의 먹거리 뉴스〉는 1900년대 초반을 상징하는 서비스 저널리즘의 전형이다. 서비스 저널리즘이 타블로이드 신문에서 꽃을 피웠다는 주장도 설득력 있게 제기된다. 그만큼 역사가 길고 전통이 깊다. 하지만 저널리즘이라는 숭고한 정의 속으로 편입되기엔 가벼웠다. 감시견 저널리즘의 묵직함을 갖추지 못했다는 이유로 외면을 받았다. 시민의 일상과 밀접한 정보의 생산은 기여 정도에 걸맞은 평가조차 얻지 못하고 저널리즘의 하위 부류쯤으로 취급되기 일쑤였다.

엄숙주의에 사로잡힌 저널리즘의 전통 속에서 서비스 저널리즘은 후한 평가를 받기 어렵다. 공론장의 관점에서, 저널리즘은 단순히 소비되는 정보와는 구분되어야 한다는 인식이 지배적이다. 시민은 민주주의의 능동적 참여자인 반면 소비자는 시장의 교환 논리에 귀속된 사적이고 수동적인 존재로 인식되기 때문이다. 하지만 아이드Eide와 나이트Knight는 소비주의에 대한 재고찰을 통해 뉴욕타임스를 읽는 시민과 타블로이드지를 읽는 소비자가 얼마나 다른지에 대해 질문을 던졌다.[18] 아이드와 나이트는 서비스 저널리즘을 공론장 측면에서 재조명한 첫 번째 연구 그룹이다. 이들은 독자의 사회적 정체성을 시민, 소비자, 고객으로 구분한 뒤, 서비스 저널리즘은 혼종적 사회 정체성을 개발한다고 주장했다.

복잡해진 사회에서 소비자의 정체성과 시민의 정체성은 동시에 발생할 수 있다. 심지어 시민들은 소비를 통해 자신의 권리를 표현하기도 한다. 오늘날 소비자 개념은 기본적으로 시민권을 상정한다. 따라서 저널리즘 역시 이제 소비자냐 시민이냐 하는 이분법적 사고에서 벗어나 수용자와의 새로운 관계를 모색해야 한다. 아이드와 나이트는 매일 새로운 문제가 발생하는 복잡한 사회를 사는 현대인들은 지속적이고 다양한 지식, 정보, 조언을 필요로 한다고 지적한다. 그들은 서비스 저널리즘이야말로 이러한 새로운 사회에 적합한 저널리즘 장르라고 보았다.

서비스 저널리즘은 "부분적으로는 시민이고, 부분적으로는 소비자이고, 부분적으로는 고객인" 수용자에게 정보를 제공하며, 그 정보는 정치, 사회와 맞닿아 있는 그들의 일상적 문제를 해결할 수 있도록 해준다.[19] 이렇듯 서비스 저널리즘은 사적 문제를 공적 포럼을 통해 중계함airing으로써 공과 사의 구분을 횡단한다. 결국 시민권과 소비주의는 떨어져 있는 것이 아니라 뒤섞여 있으며, 서비스 저널리즘은 이렇게 분리된 정체성을 통합하는 데 기여함으로써 공론장 내에서의 위상을 확보할 것이라는 얘기다.

최근 들어 서비스 저널리즘은 서서히 그 위상을 드러내고 있다. 디지털 전환에 따른 수익 모델의 위기 속에서 서비스 저널리즘이 다시금 전면에 등장한 것이다. 웹2.0이라는[20] 기술적 흐름도 한몫 보탰다. 시민이 뉴스의 생산에 참여하는 일이 쉬워졌고 서비스 저널리즘의 구현 방식도 간편해졌다. 여기에는 뉴욕타임스의 공이 컸다. 뉴욕타임스는 2015년 10월 발표한 보고서 〈우리가 가야 할 길Our Path Forward〉에서 서비스 저널리즘을 중요한 축으로 상정한다고 선언했다. 뉴욕타임스의 보고서에 담긴 내용은 다음과 같다.

> 독자들은 뉴스와 엔터테인먼트 그 이상의 것을 기대하며 뉴욕타임스로 들어온다. 그들은 일상생활에서 결정을 내릴 수 있도록 도움을 얻기 위해 뉴욕타임스를 방문한다. 신문은 항상 서비스 제공이라는 중요한 역할을 수행해야 한다. 어떤 드라마

를 시청해야 하는지, 무엇을 읽어야 하는지, 어떤 아파트를 구입해야 하는지 독자들의 결정을 도울 수 있어야 한다. 우리는 모바일에서 더 많은 가치를 더할 수 있다고 믿고 있다. 서비스 저널리즘을 현대화하려는 노력은 1년 전 쿠킹(Cooking) 섹션에서 시작됐다. 우리의 목표는 콘텐츠에 전문성을 담아 독자의 특별한 요구를 충족시키는 것이다. 가령 저녁 식사를 위해 무엇을 요리해야 하는지 알려 주는 것이다. 거의 500만 명의 월간 사용자가 방문하고 있는 쿠킹은 독자들에게 인기가 높다. 같은 접근 방식을 부동산, 건강, 영화, TV로 확대하고자 한다. 이러한 노력을 통해 1970년대와 동일한 열정과 창의성으로 모바일 시대에 맞는 기획을 재구상할 것이다.[21]

서비스 저널리즘에 대한 뉴욕타임스의 전향적인 태도는 2016년 와이어커터Wirecutter 인수로 이어졌다. 베타 프로젝트의 일환으로 최근 시도되고 있는 스마터 리빙 가이드Smarter Living Guides 코너는 서비스 저널리즘의 후속 작업이다. 2017년 3월 30일에는 〈스마터 리빙 선언The Smarter Living initiative〉까지 내놓으며 서비스 저널리즘의 확대에 박차를 가하고 있다. 뉴욕타임스뿐만이 아니다. 버즈피드의 푸드 뉴스 섹션인 테이스티Tasty도 서비스 저널리즘의 유형이다. 뉴욕매거진의 스트래터지스트Strategist, 쿼츠의 쿼치Quartzy도 모두 같은 카테고리로 묶을 수 있는 저널리즘 장르다.

최근 서비스 저널리즘의 부상은 수익 모델 탐색이라는 맥락에서 살펴야 의미를 제대로 이해할 수 있다. 저널리즘 생태계는 현재 디지털 전환이라는 거대한 흐름에서 수익의 빈곤을 경험하고 있다. 디지털 광고 시장은 구글과 페이스북이 사실상 독과점하는 시장으로 변모했다. 결국 콘텐츠를 플랫폼으로 전환하는 전략을 구사하면서 브랜디드Branded 콘텐츠, 스폰서드Sponsored 콘텐츠 시장을 공략할 수밖에 없는 처지다.

서비스 저널리즘은 이 새로운 광고 유형에 대한 흡착력이 높다. 대중적 소비가 지속적으로 일어나는 독특한 특성도 갖고 있다. 니키 어셔Nikki Usher 조지워싱턴대 교수는 서비스 저널리즘을 독자와의 협력이라는 관점에서 평가한다. 서비스 저널리즘이 독자들과 교감하면서 커뮤니티를 구축하는 데 큰 효과를 발휘하기 때문이다. 커뮤니티가 기자에게 인사이트를 제공하면서 정보의 질은 높아지고 커뮤니티의 응집도는 더욱 탄탄해질 수 있다.

서비스 저널리즘은 개인이 일상을 살아가며 부딪히는 어려움과 불만을 풀어 주고, 이를 의제로 설정함으로써 저널리즘의 사회적 기능을 확장하고 있다. 지금의 흐름을 일시적 유행으로 치부할 것이 아니라 독자의 다양한 사회적 정체성을 통합함으로써 저널리즘의 정의를 풍성하게 하는 의미 있는 조류로 바라볼 필요가 있다.

대량 맞춤 사회의 버티컬 미디어

대량 맞춤화mass customization는 당초 마케팅의 관점에서 주조된
언어였지만 새로운 패러다임을 상징하는 또 하나의 물결로
인식되고 있다. 개인화와 대량 생산이 공존할 수 있는 시대
를 일컫는 용어로 의미가 확장되고 있는 것이다. 이는 단일하
고 표준화된 대중이 다양하고 개별적인, 동시에 연결된 개인
networked individuals으로 변화하는 흐름과 맞물려 있다. 수천수만
의 취향으로 쪼개지고 있는 개인들에게 하나의 척도와 기준
으로 생산된 정보는 더 이상 통용되기 어렵다. 대중 매체의 권
력이 약화하고 있는 배경도 이와 관련이 깊다.

　뉴욕타임스는 2009년 뉴욕시립대학교와 공동으로 더
로컬The Local이라는 지역 뉴스 서비스를 시작했다. 당시 대학
쪽 파트너는 제프 자비스Jeff Jarvis 교수였다. 미디어 비평가인
자비스는 네트워크 저널리즘Networked Journalism 개념을 설파하
면서, 초지역hyperlocal 미디어를 실현 가능한 형태로 제시했다.
초지역 미디어는 지역에 밀접해 해당 지역 사회에 관한 기사
를 독점적으로 집중 보도한다. 초지역 저널리즘은 작은 지역
이나 공동체의 세세한 정보를 다루기 때문에 독자와의 긴밀
한 소통 없이는 성공할 수 없다. 뉴욕타임스의 더 로컬은 당시

대표적인 초지역 미디어의 한 형태였다.

이때까지만 하더라도 네트워크 저널리즘은 시민과 전문 기자 사이의 연결에 관심을 기울였다. 자비스 교수는 시민과 전문 기자를 네트워크로 연결함으로써 다양한 시민의 관점과 관심사를 보완·반영하려 했다. 이는 연결된 개인에 대응하기 위한 미디어 산업 차원의 전략이었지만, 새로운 질서를 재편하지는 못했다. 의미를 부여하자면 미디어 간 연결성보다는 생산 주체인 기자와 개인의 연결성 주목에 머무른 단계였다. 국내에선 오마이뉴스와 다음커뮤니케이션의 블로거 뉴스가 비슷한 사례다.

최근 들어서는 개인을 생산 주체와 연결시키는 것을 넘어 새로운 흐름과 경향이 등장하기 시작했다. 몇몇 네트워크 저널리즘 미디어는 자신의 관점을 지닌 개인을 생산자 및 미디어로 격상시키고 그들을 통해 새로운 시각을 보충하고 보완하려 했다. 역량을 지닌 개인들은 저마다의 스타일과 관점을 통해 전문 저널리즘 진영이 제공하지 못한 다양성을 보다 풍성하게 구현해 나갔다.

그러나 이들은 기존 미디어의 부속 체계에 편입되는 방식에 곧 염증을 느끼기 시작했다. 미디엄Medium, 유튜브와 같은 무료 퍼블리싱 플랫폼이 폭발적으로 늘어나고, 진입 장벽이 낮아지면서 개인 생산자들은 독립적인 미디어로 성장하는 길을 택하고 있다. 미디엄엔 독립 미디어들, 유튜브엔 개인 생산자들이 넘쳐나고 있다. 소규모 미디어를 표방한 페이스북 페이지는 헤아릴 수가 없을 정도다. 기존 네트워크 저널리즘 미디어가 개인의 잠재력을 그들의 표준화된 체계 안에 재배열하는 형식이었다면, 역량을 갖춘 개인들은 이를 거부하고 독립적인 미디어로 성장하는 길을 택하고 있다. 결과적으로 MCNMulti-Channel Network이라는 독특한 형태의 결합 미디어가 유튜브를 통해 등장하게 되는데, 이것이 네트워크로 묶인 버티컬 미디어의 원형이라고 할 수 있다.

네트워크 버티컬 미디어Networked Vertical Media는 연결된 개인들에 대응하기 위한 미디어 산업의 전략으로 접근할 수 있다. 수용자들의 다양하고 파편화된 관심사에 대응하기 위해 서로 다른 전문 분야 채널을 네트워크로 연결해 결합시킨 미디어 형태다. 개별 미디어들은 저마다 전문 분야를 다루며 네트워크상의 다른 미디어로부터 간섭받지 않고 독립적인 판단을 한다. 획일적인 기준이나 편집 방침의 지휘를 받지도 않는다. 다만 이들은 공통 자원을 공유하는 방식으로 협업하면서 공동의 저널리즘, 비즈니스 목표를 달성하는 데 주력한다.

복스 미디어Vox Media 그룹의 사례에 주목해 보자. 복스 미디어 그룹은 9개의 쪼개진 주제 영역을 느슨한 네트워크로 묶어 비즈니스로 성공한 사례다. 복스를 대표 브랜드로, 테크놀로지 영역의 더 버지The Verge, 폴리곤Polygon, 리코드Recode, 스포츠 영역의 에스비네이션SB Nation과 링거Ringer, 라이프 스타일의 이터Eater, 랙트Racked, 커브드Curbed 등이 하나의 미디어 그룹으로 엮여 있다. 개별 미디어들은 직접 교류하지는 않지만, 공통의 자원을 공유하고 복스 미디어 그룹이 개발한 콘텐츠 관리 시스템CMS·Content Management System인 코러스Chorus를 사용한다. 이를 통해 각 미디어의 콘텐츠 교류가 쉽게 이뤄질 수 있다. 바이스Vice, 그룹나인미디어Group Nine Media 등도 비슷하다.

개개인으로 쪼개진 대중이 연결된 단절이라는 모순적 상태로 존재하는 현 상황에서 미디어 산업은 이들 개인의 속성에 적합한 형태로 진화할 것을 요구받고 있다. 네트워크 버티컬 미디어는 미디어 산업이 대처할 수 있는 유효한 전략이면서 대안적인 흐름이라고 볼 수 있다. 지속 가능성은 미지수지만 달라진 현 상황에 적합한 모델이라는 점은 부인하기 어렵다.

인터랙티브 저널리즘

"전자 시대가 도래하면 활자 시대에 와해됐던 구술 문화 시대의 다양성을 다시 찾을 것이다."

미디어 이론가 마셜 맥루한Marshall McLuhan의 말이다. 맥루한은 구술 문화와 디지털 미디어를 사실상 닮은꼴로 봤다. 활자에서 방송으로 옮겨 오면서 미디어의 구술 특성은 한층 강화되었다. 디지털은 구술로 향하는 진화의 경로를 한 단계 더 밀어 올렸다. 디지털이라는 공간은 구술의 복합적 감각과 상호작용성이 되살아나는 이야기판이다.

인터랙티브 스토리는 이야기의 몰입을 촉진한다. 원래부터 이야기는 몰입의 장르다. 시도 소설도 연극도, 관객과 청자의 몰입을 유도하기 위해 이야기의 팽팽한 긴장감을 유지한다. 설화는 화자와 청자의 지속적인 상호 작용 속에서 몰입감을 높인다. 기사 역시 다르지 않다. 독자들의 몰입을 자극하기 위해 다양한 문맥적 장치를 심어 놓고 독자들의 주의를 기다린다. 몰입과 상호 작용성은 서로를 부추기고 자극하며, 이야기의 힘을 증폭한다. 이런 모든 과정을 가리켜 스토리텔링이라고 부른다. 스토리텔링은 단순히 서사만을 의미하지 않는다. 스토리텔링은 이야기와 이야기하기, 이야기판을 포괄하는 개념이며, 이야기판에 따른 이야기의 변주까지도 포함한다.

하지만 국내 저널리즘은 스토리텔링의 본질을 외면한

다. 디지털이 복원한 구술성과 상호 작용성을 가볍게 평가한다. 활자의 속성을 그대로 복제하는 기술만을 적용하고는 '디지털 스토리텔링'이라고 포장한다. 디지털 혁신을 기존의 스토리텔링, 즉 기사 작성에 기술을 접붙이는 작업쯤으로 치부한 결과다. 역피라미드니 하는 예전의 이야기판에서 굳어진 관습은 놔두고 디지털 스토리텔링을 말하는 것은 어불성설이다. 일방향성도 마찬가지다. 기성 미디어의 일방향성은 이야기의 본질과는 애초부터 아귀가 맞지 않았다.

청자의 관여를 배제하고 참여를 차단해 온 역사는 SNS 등의 새로운 플랫폼에 의해 뒤집혔다. 디지털에 밝은 실리콘밸리의 기술 전문 그룹들은 새로운 이야기판을 만들어 더 쉽게 청자들이 참여할 수 있도록 했고, 기사라는 딱딱하고 고전적인 스토리텔링을 구술적 형태로 표현할 수 있도록 진입 장벽을 낮췄다. 페이스북, 트위터, 블로그는 설화가 구연되는 사랑방과도 같은 공간으로 자리 잡았다.

반면 뉴스 미디어들은 신문에서 방송으로 이어지는 구술성의 진화에 관심을 덜 기울였다. 여전히 활자의 일방성에 집착했고, 활자의 권위에 의존했다. 말의 미디어인 방송조차 활자 문화의 스토리텔링을 고수한 채 구술 문화의 장점을 받아들이는 데 인색했다. 신문이든 방송이든 뒤늦게 디지털 스토리텔링에 뛰어들었지만, 활자 시대 사고의 관성은 버리지 못하고 있다.

　디지털 혁신은 달라진 이야기판에서 이야기에 힘을 더하는 작업이다. 데이터 저널리즘, 인터랙티브 스토리텔링은 기술의 용어가 아니라 서사의 언어다. 어떻게 청자의 위상을 이야기판 위에 복원시키고, 어떻게 화자와 청자를 다시 상호작용시킬 것인가를 고민하는 절차다. 기술은 이야기의 힘을 증폭시키는 도구일 뿐이다. 인공지능AI 스피커라는 새로운 이야기판에서 기사가 살아남을 수 있는 묘책도 결국 이 같은 전략 위에서 상상해야 한다. 개발자가 결합하고 데이터 엔지니어를 채용한다고 해서 허술한 이야기와 관습적 스토리텔링이 새로운 의미와 가치를 부여받는 것은 아니다. 인터랙티브 기사의 화려한 디자인으로도 이야기의 공백을 메울 수는 없다. 디지털 혁신의 출발점은 스토리텔링에서 시작돼야 한다는 명제를 분명히 인식해야 회의론에서 벗어날 수 있다. 시대가 변해도 본질은 바뀌지 않는다.

오디오 퍼스트 시대

아마존의 AI 스피커 에코는 2014년 11월 출시 이후 2017년 5월까지 전 세계에서 1000만 대 이상 팔렸다. 에코의 기반이 되는 인공지능 플랫폼 '알렉사'는 2019년 기준 42개국에서 사용 가능하다. 스킬이라고 불리는 에코 앱도 1만 5000개를 넘어섰다. AI 스피커를 중심으로 구축된 오디오 콘텐츠 생태계는 전 세계를 대상으로 안정적인 성장 단계에 진입했다고 해도 과언이 아니다.

'오디오 퍼스트' 국면에서 글로벌 언론사 간 경쟁도 치열하다. BBC, NPR, CNN 등 전통 방송사부터 버즈피드와 같은 뉴스 스타트업에 이르기까지 다수의 글로벌 언론사들이 AI 스피커 전용 뉴스 서비스를 내놨다.

AI 스피커는 언론사에게 도전적인 과제다. 대부분의 언론사가 대화형 사용자 인터페이스Conversational UI에 익숙하지 않은데다 이를 전담할 인력도 부족하다. 음성이라는 레이어가 추가로 더해지면 콘텐츠 제작의 변수는 더욱 늘어난다. 사용자의 질문에 따라 제공하는 뉴스의 내용과 유형이 바뀌어야 하고, 개별 사용자의 뉴스 소비 성향을 추적해 관심사별로 뉴스를 요약할 수도 있어야 한다. 표적 독자의 상황과 맥락을 이해하고 이에 적합한 정보를, 신뢰감을 더한 목소리로 짧은 시간 안에 읽어 줘야 한다.

벤처비트Venture Beat라는 테크놀로지 전문 미디어는 AI 스피커용 콘텐츠의 다섯 가지 특징을 추려 소개했다. 여기엔 '사람과 일대일로 대화하는 것처럼 느낄 수 있어야 한다'는 항목이 포함돼 있다. 일대일 대화라는 표현에는 적지 않은 과제가 함축돼 있다. 언론사에게 익숙한 일방향적 정보 전달 방식은 오디오 퍼스트 시대에는 걸림돌로 작용할 것이다. 활자 사고에 갇힌 인쇄 신문 언론사들은 구술 중심의 오디오 콘텐츠를 풀어 가는 데 어려움을 겪을 것이다.

NPR과 BBC 등 기존 라디오 스테이션을 운영하던 방송사들이 AI 스피커에서 두각을 나타내는 이유도 이와 관련이 깊다. BBC는 〈토킹 위드 머신Talking with Machines〉이라는 연구 프로젝트를 2016년 출범시킨 데 이어, 특정 플랫폼에 의존하지 않는 별도의 소프트웨어 개발 프로세스까지 준비하고 있다. NPR은 에코의 오디오 스킬 안에서 자동으로 청취 지역을 탐지하고 해당 지역에 맞춤화해 스트리밍하는 방식으로 콘텐츠를 제공하는 방안을 고민하고 있다. 아직 AI 스피커에 최적화한 형태의 네이티브 오디오 콘텐츠를 개발한 단계까지는 나아가지 못하고 있지만 구술성의 장점을 십분 활용하며 선점을 노리고 있다.

뉴스는 분명 AI 스피커 시대에도 살아남을 것이고 오히려 더 많이 소비될 것이다. 하지만 소비되는 콘텐츠는 AI 스피커가 설치되는 시간과 공간의 맥락에 의존할 수밖에 없다. 부엌에서 요리할 때 듣고 싶은 정보와 침실에서 자기 전에 기대하는 정보는 당연히 다르다. 그럴 때마다 사용자들은 상황에 부합하는 언론사의 정보를 탐색하게 될 것이다. 그 몫은 기성 언론사의 것이 될 수도 있지만, 미디어 환경의 변화에 예민하게 반응하는 신생 언론이 차지하게 될 수도 있다.

뉴스를 위한 아이팟이 등장할까

신문은 기사와 종이, 편집 체계로 분리할 수 있다. 빈 종이 위에 뉴스라는 내용이, 편집 레이아웃 등의 질서 체계를 갖고 결합된 형태가 바로 신문이다. 기계 복제 시대에서 신문은 종이와 결합된 뉴스로서, 정보와 물질 간 고정성으로 인해 해체 불가능했다. 내용만을 따로 복제할 가능성이 크지 않았다. 뉴스의 희소성이 존재할 수 있었던 것은 물리적 공간과 논리적 체계 속에서 결합된 정보라는 속성에서 기인했다.

　　디지털화가 진행되면서 뉴스 산업은 위축되기 시작했다. 종이 신문은 디지털화로 인해 그동안 종이 위에서 쌓아 온 편집 노하우의 가치를 상실했다. 웹에서 종이 신문은 새로운 논리 체계를 갖고 다시금 재배열됐다. 그러나 상실한 물질성은 회복할 수 없었다. 뉴스가 종이라는 물질성에서 벗어나면서부터 신문은 뉴스라는 내용만 남아서 비트화된 채 가상 공간 이곳저곳을 부유하게 됐다. 복제는 일상이 됐고 희소성의 지속 시간, 엄밀하게는 정보 가치의 보전 시간이 짧아지게 됐다. 여기에 정보 생산량이 기하급수적으로 증가하면서, 독점적 정보로 평가받을 수 있는 시간과 공간도 좁아졌다.

　　인쇄술의 발명 이래 지식의 상업화가 의미하는 것은 지식과 결합된 미디어의 상업화였다.[22] 미디어와 분리된 정보나 지식은 그 자체로서의 상품화 가능성이 높지 않다는 의미다. 정보와 지식은 미디어와 결합해 상품화됐고 그것이 뉴스 산업의 수익 창출을 가능케 했다.

미디어는 항상 물질성을 전제했다. 책, 신문, TV, 라디오 등 어느 것 하나 물질성과 결합되지 않은 것이 없었다. 뉴스 산업이 성장한 이면에는 가치 실현이 쉽지 않은 콘텐츠, 지식과 물질성이 전제된 미디어와의 결합이 있었다. 뉴스라는 콘텐츠를 물리적 층위에 올려놓고, 각자의 논리적 레이어를 배열하고 결합함으로써 가치를 생성했다.

돌이켜 보면 뉴스의 황금시대는 뉴스가 신문과 흡착돼 있을 때였다. 종이로부터 분리된 시점부터 뉴스의 상품화는 난관에 부딪혔다. 광고 수익은 급전직하했고 부가 수입도 줄었다. 디지털 수익은 종이 신문을 찍어 낼 때와 비교하면 여전히 작은 수준이다. 이로 인해 문을 닫는 언론사도 속출하고 있다.

단순한 해법은 뉴스가 다시 물질성과 결합하는 것이다. 단 조건이 있다. 그 물질성에 대한 제어권이 뉴스 생산자 집단에 귀속돼야 한다. 스마트폰이나 AI 스피커의 제어권은 뉴스 생산자 집단에 주어지지 않는다. 뉴스를 결합할 수 있는 훌륭한 물리적 하부 구조이지만 그 안에서 뉴스는 선택적이고 기생적이다. 따라서 대규모의 수익을 창출하기에는 적합하지 않다.

잠시 애플의 사례를 살펴보자. 애플은 콘텐츠와 물질성

의 결합을 포기한 적이 없다. 음악의 탈물질화가 진행되는 순간에도 애플은 아이팟으로 재물질화를 실행했다. 음반에서 뛰쳐나간 음원을 기기로 재결합하면서 독창적인 논리적 레이어로 서비스를 재구성했다. 애플 수익의 대부분은 아이폰, 아이패드, 맥 등 하드웨어에서 만들어진다. 가치 실현이 어려운 비트화된 음원을 물질성을 갖춘 미디어와 결합시킴으로써 수익성을 높여 온 것이다.

구글, 페이스북 등이 하드웨어 사업에 관심을 보이는 배경도 이 맥락에서 이해할 수 있다. 구글과 페이스북은 몇 차례 적자를 겪으면서도 하드웨어 시장에 집착하고 있다. 구글은 2016년 10월 '메이드 바이 구글Made By Google' 행사에서 스마트폰 픽셀을 비롯해 다섯 가지 하드웨어를 공개하고, 이듬해엔 픽셀2를 출시했다. 페이스북 역시 HTC를 통해 퍼스트라는 페이스북 전용 스마트폰을 출시해 실패한 바 있다. 그러나 여전히 하드웨어를 전담하는 별도의 부서를 두고 자사 전용 하드웨어를 만들기 위해 시장을 끊임없이 두드리고 있다.[23]

이들의 프로젝트를 하드웨어 자체를 팔려는 목적으로 봐서는 곤란하다. 콘텐츠, 논리 레이어와 결합된 하드웨어를 통해 이익을 실현하기 위한 전략으로 바라봐야 한다. 픽셀 프로덕트 매니저 이삭 레이놀즈Isaac Reynolds는 중요한 것은 하드웨어 혁신과 소프트웨어 혁신을 결합해 나가는 것이라고 말했다.[24] '소프트웨어가 돈이 된다', '콘텐츠가 돈이 된다'는 식의 단순한 명제는 미디어의 3층 레이어 구조를 간과하고 있다. 미디어는 콘텐츠, 소프트웨어, 하드웨어의 결합 관계 속에서 수익의 규모와 범위가 확장된다.

블록체인이 바꾸는 광고 생태계

저널리즘의 고질적인 문제 한 가지는 디지털 광고다. 기사 곳곳에 배치된 너저분한 광고는 값싼 트래픽을 먹고 살을 찌운다. 이 광고 형태는 독자 충성도나 저널리즘에 대한 이해, 스토리에 대한 몰입과 관계없이 페이지뷰만 발생하면 된다는 논리에서 나온다. 저널리즘은 여전히 값싼 트래픽을 벌기 위해 신뢰를 재물로 내놓는다. 신뢰의 추락은 독자의 이탈, 수익의 하락으로 이어진다.

저널리즘을 좀먹는 악순환의 고리는 이렇게 구조화된다. 악순환의 구조를 깨뜨리기 위한 노력이 없지는 않았다. 파이낸셜타임스는 사용자의 체류 시간에 비중을 두는 광고 상품을 내놓으며 반전을 모색했다. 품질 높은 뉴스에 게시되는 광고에 더 높은 광고 단가를 제시하자는 제안도 있었다. 기사의 품질에 따라 광고 단가를 차등화해 고품질 뉴스 생산을 유도하겠다는 아이디어였다.

그럼에도 풀리지 않는 숙제가 있다. 비용을 지불하는 주체인 광고주들이 동의할 수 있느냐다. 뿐만 아니라 쓸모없는 광고 공해에 노출돼야 하는 독자들의 불만도 해소할 수 있어야 한다. 언론사의 광고 수익이 일정 규모 이상으로 유지돼야 하는 난제도 있다. 이 세 주체의 오랜 고민거리가 해결될 수 있다면, 건강한 저널리즘과 효율적인 광고 시장이 병존하는 이상적인 생태계가 만들어질 수 있다.

이러한 맥락에서 블록체인 기술이 해결책으로 부상하고 있다. 블록체인은 분산적 공개 거래 장부public ledger 기술이다. 돈이나 계약과 같은 거래 행위는 반드시 신뢰할 만한 기관에서 통제해야 한다. 상대방에 대한 신용 정보가 부족하면 거래 자체가 성립되기 어렵다. 블록체인은 개인 간 거래의 신뢰를 담보한다는 측면에서 혁신적이라는 평가를 받고 있다. 거래 내역은 참여자 본인을 포함해 거래 체인에 합류한 모든 이들에게 공개된다. 이를 조작하거나 변경하는 작업은 사실상 불가능하다. 공개된 장부인 만큼 절반 이상이 동의해야만 과거 거래 이력이 변경될 수 있다. 개인 간 신용 거래가 안전해지는 동시에 중개자들의 역할은 사라진다. 블록체인을 '중개자들의 무덤'이라고 부르는 이유다.

저널리즘에서 블록체인이 가장 필요한 영역이 디지털 광고 생태계다. 언론사와 광고주 사이에는 매체 대행사, 광고 대행사 등 수많은 중개자가 있다. 언론사들의 광고 수익이 줄어드는 건 당연한 귀결이다. 중개자들의 몫을 온전하게 언론사에 이전시킬 수 있다면, 수익이 높아질 것이라는 예상은 충분히 가능하다. 일부 분석가는 블록체인이 도입되면 광고 1000회당 노출 비용 기준이 1달러 수준인 현행 광고 단가가 5달러까지 오를 수 있다고도 전망했다.

독자들이 고품질 뉴스에 직접 지불하는 모델도 블록체인을 통해 작동될 수 있다. 독자들이 뉴스에 보내는 주목attention 행위를 블록체인 기반의 암호 화폐로 보상해 줄 수만 있다면 가능하다. 독자들은 주목을 통해 암호 화폐를 획득하고, 이를 다시 언론사의 고품질 뉴스에 지불하는 시스템이 만들어지게 되는 것이다. 이 생태계에서 언론사는 두 가지 경로를 통해 고품질 뉴스에 대한 보상을 받게 된다. 광고주들의 광고를 게시함으로써 1차 수익을, 독자들의 지불을 통해 2차 수익을 얻을 수 있다. 언론사나 광고주가 관련 기술을 직접 개발하지 않아도 된다. 대신 이 거래는 블록체인 기반으로 생성된 암호 화폐를 통해서만 가능하다.

블록체인 기반의 광고 생태계 혁신은 몇몇 스타트업에 의해 실행되고 있다. 방식은 조금씩 차이가 있지만, 브레이브 소프트웨어Brave Software, 스팀잇Steemit, 애드체인AdChain과 같은 젊은 기업들이 도전적 과제를 풀어내기 위해 과감한 행보를 시작했다.

이 가운데 눈여겨볼 시도는 브레이브 소프트웨어의 BATBasic Attention Token다. BAT는 브레이브 소프트웨어가 고안한 가상 화폐로 이더리움Ethereum 기반으로 개발됐다. 브레이브 소프트웨어는 언론사 홈페이지의 등에 덕지덕지 붙어있는 혐오성 혹은 사기성 광고를 덜어 내는 데 관심을 기울인다. 광고 차단 프로그램으로 사기성 광고는 얼마든지 억제할 수 있지만, 그 경우 언론의 생명줄인 광고 생태계가 위기에 빠질 수도 있다. 브레이브 소프트웨어는 블록체인 기술을 활용해 사기성 광고를 걷어 내면서 동시에 건강한 광고가 유통될 수 있는 새로운 비즈니스 구조를 짜고 있다. 사기성 광고는 못 보게 하되, 사용자들이 관심을 쏟는 광고에는 보상을 해주겠다는 취지다.

BAT라는 단어에서 떠올릴 수 있듯, 브레이브 소프트웨어가 구상하는 보상 방식은 주목에 비례해 크기가 증대하는 모델이다. 좋은 광고는 사용자들의 시선을 끌기 마련이고, 주목이라는 비물질적 행위는 인간의 에너지와 관심을 상징하는 중요한 지표다. 사용자가 주목하는 시간을 측정해 이를 가상 화폐로 정량화함으로써, 좋은 광고와 그 광고를 담고 있는 언론사에 수익을 보태는 것이 가능하다. 수익 교환 과정은 블록체인 기술을 통해 이루어진다. BAT는 광고 에이전시와 같은 중개자의 역할을 소거함으로써 사용자가 직접 광고주나 언론사에 물적 보상을 돌려줄 수 있도록 설계됐다. 따라서 이 설계대로 BAT가 활성화된다면 에이전시 등 중개자가 가져가는 수수료는 큰 폭으로 줄어들게 된다.

이들 중개자는 광고를 거래하는 과정에서 광고의 효율적인 집행만을 담당하는 것이 아니다. 가장 중요한 역할인 거래의 신뢰 보증도 담당한다. 광고주나 언론사나 중개자의 신뢰를 바탕으로 광고 또는 광고 공간을 판매하고 위탁한다. 중개자의 개입이 그동안 공고하게 유지돼 온 배경이다.

블록체인은 중개자가 수행한 신뢰 관리의 과정을 파괴한다. 중개자의 개입 없이 사용자와 언론사, 언론사와 광고주가 직접 거래할 수 있는 신뢰 매개의 혁명을 만들어 가고 있다. 블록체인의 장점은 서로 알지 못하는 두 관계자를 고착된 신뢰 없이도 신뢰할 수 있게 만든다. 분산화된 장부distributed ledger 덕이다.

브레이브 소프트웨어는 분산 장부에 더해 광고 서버의 역할을 브라우저로 대체했다. 이들이 개발한 브라우저 브레이브는 BAT의 핵심이라 할 수 있는 주목의 수준을 측정하고 기록으로 남긴다. 이를 위해 BAMBasic Attention Metrics이라는 산출 방법론도 개발했다. BAM은 사용자가 광고에 직접적인 클릭 행위 등을 하기에 앞서 활성화된 브라우저의 탭 안에서 사용자가 머무른 시간과 광고에 주목한 범위 등을 실시간으로 측정해 점수에 합산한다. 향후에는 CPA Click Per Action 모델까지 개발해 브라우저에 탑재할 계획이다.

브레이브의 장점은 광고 서버가 트래킹했던 사용자 행위 데이터를 광고 서버에 넘겨주지 않는다는 것이다. 사용자 데이터의 소유권은 사용자가 갖는다. 사용자 입장에선 자신의 데이터가 외부 추적 시스템에 의해 추적당하지 않는 장점이 있다. 일반적으로 사용자가 언론사의 웹사이트에 방문하게 되면, 광고 게시물에 숨겨진 트래킹 코드는 사용자 행위를 실시간으로 추적한다. 이를 통해 사용자가 관심을 가질 만한 상품 광고 등을 추천한다. 브레이브는 이 트래킹 코드의 작동을 중단시키는 대신, 브라우저 내에서 맞춤 광고 추천 알고리즘을 가동한다. 여기서 생산된 사용자 데이터도 암호화되어 사용자 개인의 소유로 남아 있게 된다.

사용자는 광고에 보낸 주목을 BAM 공식에 따라 BAT라는 이더리움 기반의 가상 화폐로 보상받게 된다. 사용자는 BAT를 가치가 높은 광고를 생산하고 게시한 광고주나 언론사에 송금할 수 있다. 언론사는 중개자의 수수료 몫을 제하지 않고 온전하게 광고 게시에 따른 수익을 얻게 되는 것이다.

브레이브 소프트웨어 등이 구상하는 미디어 생태계가 완성되면 구글이나 페이스북의 광고 시스템을 거치지 않아도 정밀한 타깃 광고를 게시할 수 있게 된다. 플랫폼 권력에 광고 수익을 떼어 줘야 하는 부담에서도 자유로워질 수 있다. 무엇보다 언론사는 고품질 뉴스 생산에 집중함으로써, 구독과 광고라는 두 축의 수익을 동시에 취할 수 있다. 플랫폼 권력에 도전할 수 있는 블록체인 기반의 분산 기술도 점차 늘어나는 추세다. 이 기술이 저널리즘 생태계의 모든 문제를 해결해 주지는 않지만, 오래된 병폐에서 벗어나는 실마리는 될 수 있다. 저널리즘이 블록체인이라는 이질적인 아이디어를 수용했을 때 그릴 수 있는 희망적인 청사진이다.

저널리즘 수익 모델과 사용자 경험

수익 모델은 공급자와 사용자가 가치를 제공하고 보상을 받는 교환 행위다. 제공하는 가치가 달라지면 보상받는 규모와 방식, 유형도 달라질 수밖에 없다. 따라서 우선적으로 어떤 가치를 설정할 것인가에 대한 이해가 선행되어야 한다.

가치 설정을 위해서는 우선 저널리즘의 역할과 목표를 확인할 필요가 있다. 저널리즘 일반론은 식견 있는 공중 혹은 시민informed citizen의 등장을 촉진하는 것을 목표로 설정한다. 이를 통해 시민이 공동체의 의사 결정과 정치적 행위에 참여할 수 있도록 도와야 한다. 이러한 목표 달성을 위해 저널리즘은 그동안 시민들이 진실에 조금 더 다가갈 수 있도록 지원하는 역할을 해왔다.

그러나 오늘날 수용자들이 시민과 소비자로서의 정체성을 동시에 지니고 있다는 점을 고려하면 저널리즘의 역할은 확장될 수 있다. 저널리즘은 시민으로서 소비자가 당면한 문제를 해결하기 위해 신뢰 있는 정보를 전달함으로써 스스로 판단하고 움직일 수 있도록 지원하는 일체의 행위로 규정될 수 있다.

저널리즘이 수용자에게 제공해야 할 가치는 이 지점에서 도출될 수 있다. 저널리즘은 수용자가 일상적 시공간에서 자신의 삶과 공동체의 문제를 개선할 수 있도록 도와주는 무언가를 제공해야 한다. 전통적인 관점에서 그 핵심은 정보의 형태겠지만, 지금처럼 미디어 환경이 급변하는 상황에서는 정보 그 이상의 것이 될 수도 있다. 저널리즘 조직이 검토해야 할 수익 모델의 범위도 이런 흐름 속에서 상상해야 한다. 새로운 저널리즘은 수용자의 행동 변화를 매개할 수 있어야 한다.

그러기 위해서는 사용자 경험UX의 관점에서 수용자를 이해할 필요가 있다. 사용자 경험은 사용자가 어떤 시스템, 제품, 서비스를 직간접적으로 이용하면서 느끼고 생각하게 되는 지각과 반응, 행동 등 총체적 경험을 가리킨다. 사용자 경험 혹은 독자 경험은 저널리즘 조직의 생산물인 기사나 보도와 관련해 획득할 수 있는 유용함과 중요성 등 모든 유무형의 유익이다. 사용자 경험은 내용적인 측면뿐 아니라, 기술적인 측면과 물질적인 측면 모든 부분에서 고려되어야 한다. 디지털 미디어에서 발견할 수 있는 현상은 자체적인 소프트웨어 개발이다. 레브 마노비치Lev Manovich 뉴욕시립대 교수는 "디지털 미디어는 수많은 소프트웨어 기술, 알고리즘, 데이터 구조, 인터페이스 관습 및 은유 등의 점진적 발전 및 축적의 구조"라고 설명하기도 했다.[25] 그런 만큼 저널리즘의 목적을 달성하기 위해서는 미디어의 소프트웨어에 집중해야 한다. 뉴스와 정보뿐 아니라 웹과 모바일의 소프트웨어의 구조, 인터페이스 모두를 고려할 수 있는 새로운 접근법이 저널리즘을 작동시키는 데 포함될 수 있다는 의미다.

미디어 사용자 경험이 뉴스 서비스로부터 얻게 되는 만족감과 효능감 같은 총체적 경험임을 고려할 때 저널리즘의 수익 모델이 도전할 수 있는 영역은 자연스럽게 확장된다.[26] 전통적인 저널리즘 조직은 뉴스나 정보를 매개로 수용자의 문제를 해결하는 방식으로 수익 모델을 구축해 왔다. 구독자 중심의 수익 모델도 이 범위에서 크게 벗어나지 않는다.

뉴스는 그동안 행동 변화를 유도하는 정보 이상의 대책이나 대안을 직접적으로 제시하지 않았다. 공정성과 객관성, 나아가 이해 충돌의 원칙이 그 이상의 행동 유도를 망설이게 했다. A라는 제품이 수용자들에게 최상의 선택이자 해결책임을 강조하면서도 그 제품의 구매를 유도하는 일은 금기시됐다. 당장 정치적 시위에 동참할 것을 독려하는 뉴스를 내보내면서도 서명 운동으로 연결하는 것은 터부시했다. 저널리즘이 편향을 드러내는 것으로 받아들여졌기 때문이다.

최근에는 파격적 시도들이 조금씩 늘어나고 있다. 버즈피드의 프로덕트 랩Product Labs이 대표적이다. 제공한 레시피 정보대로 편리하게 요리할 수 있도록 돕기 위해 조리 도구를 개발해 판매하는 사례는 사용자 경험 증진의 측면에서 보면 전혀 어색하지 않다. 워싱턴포스트가 뉴스 제작자들의 사용자 경험을 증진시키기 위해 자사의 콘텐츠 관리 시스템을 상품화한 것도 자연스럽다. 타깃으로 삼는 대상만 다를 뿐 사용자 경험 증진에 주목하며 비즈니스 모델을 확장한 결과다. 수용자들에게 새로운 가치를 제안함으로써 사용자 경험을 연결·확장시키는 과정, 문제 해결을 도움으로써 관계의 밀도를 높이는 시도에 새로운 비즈니스의 기회가 열려 있다. 저널리즘 가치를 훼손하지 않고도 비즈니스 다각화를 꾀하는 상상은 저널리즘의 목적과 외연을 넓혀서 해석할 때 비로소 가능하다.

소프트웨어를 파는 신문사 ; 워싱턴포스트

워싱턴포스트가 아크Arc라는 CMS 소프트웨어를 판매해 수익을 올렸다는 소식이 전해졌을 때, 의아해하는 이들이 적지 않았다. 언론사로선 특이한 수익 모델인데다, 실제로 판매가 된다는 사실이 놀라워서다. 더욱 눈길을 끄는 대목은 수익 규모다. 2017년 워싱턴포스트는 아크 플랫폼 라이선스 판매 수익이 1억 달러에 이르게 될 것으로 전망했다. 무려 1000억 원 이상의 수익을 소프트웨어 판매로 확보하겠다는 구상이다.

워싱턴포스트의 구상은 현실이 되고 있다. 로스앤젤레스 타임스 등을 소유하고 있는 미디어 그룹 트론크Tronc가 2017년 3월 워싱턴포스트의 아크를 적용하기로 했다고 발표했다. 구체적인 라이선스 비용은 발표되지 않았지만, 계약 금액은 제법 큰 규모인 것으로 추정된다. 2018년에는 5개의 메이저 언론사들이 아크를 도입하겠다며 계약을 체결했다. 보니어 코퍼레이션Bonnier Corp., 어드밴스 로컬Advance Local, 보스턴 글로브 미디어 파트너스Boston Globe Media Partners, 필라델피아 미디어 네트워크Philadelphia Media Network, 르 파리지엥Le Parisien 등이다. 2021년 기준 아크는 전 세계 22개국 언론사가 활용하고 있다.

현재 알려진 바로는 워싱턴포스트는 아크 플랫폼을 월 10~15만 달러에 서비스하고 있다. 언론사별로 연간 100~180만 달러를 지불해야 한다. 200개 사이트 도입이 완료되면 예상되는 수익 규모는 많게는 3억 달러를 넘어설 수도 있다. 아마존Amazon의 제프 베조스Jeff Bezos가 워싱턴포스트를 2억 5000만 달러에 인수했던 2013년과 비교하면 그야말로 격세지감이다.

CMS는 언론사가 디지털 뉴스를 발행하는 데 있어 필수적인 소프트웨어다. 언론사의 콘텐츠 제작 노하우를 비롯해 커뮤니케이션 기술이 집적돼 있다. 기사를 생산하려면, 입력, 편집, 인쇄 과정을 거쳐야 하는 데, CMS가 이 과정을 처리한다. 대부분의 언론사는 종이 신문 기반의 입력, 편집, 인쇄 시스템을 유지하고 있었다. 워싱턴포스트 역시 마찬가지였고, 디지털 환경에 맞는 새로운 소프트웨어를 개발하기 위해 오랜 시간 공을 들여 자체 CMS 개발을 주도했다.

하지만 1995년 워싱턴포스트닷컴을 운영하기 위해 처음 개발된 웹 발행용 CMS는 시간이 지나면서 효율성이 떨어져 갔다. 인쇄용 신문 기사를 웹에 발행하기 위해서는 신문 기사를 복사해 웹 CMS로 옮기는 거추장스러운 작업을 반드시 거쳐야 했기 때문이다. 웹에 곧장 기사를 발행하기를 원하는 기자들을 위해 별도의 워드프레스 블로그를 개발하기도 했다. 하지만 신문, 웹, 블로그 3개로 분리된 채 운영되는 기사 발행 시스템은 급변하는 디지털 미디어 환경에 적합하지 않았다.

워싱턴포스트는 2011년 내부에서 직접 CMS 통합 시스템을 개발하기로 결정했다. 샤일리시 프라카시Shailesh Prakash 워싱턴포스트 CIOChief Information Officer는 "사업 기획이나 수익 모델 설계는 외주를 주지 않는다. 왜 기술은 외주하는가"라고 반문하며 기술 또한 워싱턴포스트 비즈니스의 핵심임을 선언했다. CMS가 디지털 뉴스 생산 시스템의 중추인 만큼 기술 경험을 내재화해야 한다고 판단한 것이다. 그는 급변하는 환경에 유연하게 대처하기 위해서라도 반드시 자사에 적합한 새로운 소프트웨어를 개발해야 한다고 강조했다.

2012년 이후 2년간 워싱턴포스트는 개발자 규모를 3배 이상 늘렸다. 그리고 개발자, 기자, 에디터가 필요한 기술을 효율적으로 파악할 수 있도록 같은 사무실에서 작업하도록 했다. 그 결과 다양한 소프트웨어 기술이 개발됐다. 기자들은 직접 독자들이 어떤 제목과 사진에 반응하는지 A/B 테스팅 testing[27]을 할 수 있게 되었고, 영상을 간단하게 편집하고 관리할 수 있게 되었다. 또한 에디터, 기자, 개발자가 협조하여 빠르게 페이지 템플릿을 제작하고 편집할 수 있는 각종 도구도 만들어졌다. 그렇게 개발된 총 18개의 기능이 하나로 통합되어 아크라는 퍼블리싱 플랫폼이 탄생했다.

아크 플랫폼에는 인쇄와 온라인 뉴스룸을 통합하며 경험했던 워싱턴포스트의 고민과 역량이 고스란히 배어 있다. 아크의 첫 번째 고객은 미국의 대학 언론이었다. 워싱턴포스트는 2014년 메릴랜드대 학생 신문사 다이아몬드백The DiamondBack과 컬럼비아대 학생 신문인 컬럼비아 데일리 스펙테이터The Columbia Daily Spectator에 아크를 무료 공급했다. 워싱턴포스트는 여기서 취득한 피드백을 바탕으로 이듬해부터 본격적으로 판매에 나섰다. 이제 아크는 90여 개의 사이트와 앱에서 매월 5억 명의 독자들을 만나고 있다.

소프트웨어 판매는 전례 없는 수익 모델이다. 특히나 국내 언론사들처럼 내부 콘텐츠 관리 소프트웨어 개발을 외주에 의존하는 형편에서는 쉽게 시도해 볼 수 없는 영역이다. 하지만 언론사들은 대선을 비롯한 복잡한 미디어 사건에 대응하고 세밀한 인터랙티브 기사를 제작하는 과정에서 다양한 소프트웨어를 부산물로 개발할 수밖에 없다. 그것이 디지털 전환에 대비하는 효율적인 경로이며 그 경로를 따라가다 보면 소프트웨어 판매의 가능성이 열리게 된다.

프라카시는 워싱턴포스트를 "단순한 신문사가 아닌, 진

취적이고 혁신적인 기술 기업"으로 재정의했다.[28] 그는 워싱턴포스트가 더 이상 저널리스트들만을 위해 존재할 수 없다고 보았다. 언론사는 디지털 전환 과정에서 소프트웨어 기업으로 진화할 수밖에 없다. 기사를 생산하고 관리하며 유통하고 발행하는 전 과정이 소프트웨어에 의해 제어되기 때문이다. 어느 과정 하나도 소프트웨어의 작동 없이 실행할 수 있는 경우는 존재하지 않는다. 단적으로 AI 스피커라는 새로운 플랫폼에 기사를 유통시키기 위해서라도 관련 소프트웨어를 개발할 수밖에 없는 처지다. 데이터 저널리즘을 효율적으로 구현하기 위해서라도 시각화 소프트웨어의 도움을 얻어야 한다.

　　미디어 복합 기업 뉴스코퍼레이션News Corporation은 인수라는 방법을 동원했다. 루퍼트 머독Rupert Murdoch의 뉴스코퍼레이션은 2013년 스토리풀Storyful이라는 소프트웨어 기업을 2500만 달러를 들여 인수했다. 스토리풀은 사용자들이 인터넷에 올린 콘텐츠의 신뢰를 검증하는 소프트웨어를 통해 언론사의 크라우드 소싱[29] 저널리즘을 기술적으로 지원하는 스타트업이다. 2015년 기준으로 150개 이상의 기업이 스토리풀의 소프트웨어를 유료로 이용하고 있다. 최근 들어서는 소셜 미디어에 게시된 콘텐츠의 진위를 판별해 페이크 뉴스로부터 언론사를 보호하는 분야로도 사업을 확장하고 있다.

　　제2의 워싱턴포스트는 앞으로 얼마든지 등장할 수 있

다. 물론 비용 대비 수익이 보장되지 않은 결정을 내리기는 쉽지 않다. CMS 구축 비용 자체는 과거 윤전기 도입 비용에 비하면 크지 않으나, 기존 설비를 유지하는 동시에 새로운 시도를 하는 과정에서 많은 위험 부담이 생긴다. 많은 이들이 아마존의 자본과 기술력을 워싱턴포스트의 성공 배경으로 생각하는 이유다. 하지만 워싱턴포스트는 20여 년 이상 디지털 전환을 추진하면서 수많은 실험과 시행착오를 겪어 왔다. 그 동안의 고민과 변화에 대한 공감이 있었기에 혁신 또한 가능했다. 기존 프로세스 안에서는 새로운 시도를 하지 못하고 수익이 감소하는 악순환이 계속된다. 분명한 사실은 언론사가 소프트웨어 기업으로 변모해 가고 있다는 흐름과 축적된 기술력이 새로운 수익의 가능성을 열어 줄 수 있다는 것이다.

물건 파는 언론사 ; 버즈피드

버즈피드는 독특한 디지털 미디어다. 한쪽에서는 테크놀로지 기업이라고 평가받지만 다른 한쪽에선 유별난 광고 기업으로 인식되곤 한다. 버즈피드는 직접 개발한 웹 기록 소프트웨어를 통해 독자들이 SNS에서 콘텐츠를 공유하는 이유를 분석해 콘텐츠 제작에 활용한다. 버즈피드는 리스티클(리스트list와 아티클article의 합성어) 유행을 선도한 미디어로 가장 잘 알려져 있기도 하다. 이들은 리스티클에 광고를 접목한 형태의 네이티브 광고 시장 또한 주도해 왔다. 그러나 동시에 전통 미디어 출신의 저널리스트들을 고용해 정치, 사회 등 다양한 주제에서 독점적인 탐사 보도와 심층 보도로 두각을 나타내고 있다. 어쩌면 버즈피드는 이러한 모호하고도 구별되지 않는 속성에 만족해할지 모른다. 그것이 그들의 비즈니스를 확장하는 데 도움이 될 것이라는 판단에서다.

2006년에 출범한 버즈피드는 전통 언론사들과 다른 방식으로 독자들에게 접근하며 폭발적으로 성장했다. 연성 콘텐츠, 네이티브 광고, 탐사 보도 등 경계를 넘나드는 콘텐츠를 선보이면서도, 사람들의 공동 관심사를 모으고 서비스를 통해 그들의 삶을 향상시키는 전략에 집중하며 각광받았다. 뉴욕타임스는 2014년 〈혁신 보고서〉에서 가장 강력한 경쟁 매체로 버즈피드를 언급했다. 2016년 기준 월 평균 버즈피드의 방문자 수는 뉴욕타임스의 두 배에 달하는 2억 5000명이었고, 콘텐츠 조회 수는 50억 회를 기록했다. 미국 내 웬만한 주류 언론사의 방문자 수를 훌쩍 넘어선 수치다.

하지만 성장세는 순탄치 못했다. 디지털 광고 시장에선 페이스북과 구글의 독점이 강화되며 버즈피드의 대표 수익원이었던 네이티브 광고의 입지가 좁아졌다. 미국 시장 조사 기관 이마케터에 따르면 2017년 미국의 디지털 광고비 총 830억 달러 중 페이스북과 구글의 비율은 67퍼센트에 달했다. 여기에다 웹사이트 순 방문자 수마저 2016년 한 해 동안 2위에서 5위로 내려앉았다. 2016년 미국 대선 기간 가짜 뉴스 논란이 제기되며 독자들이 버즈피드 스낵 콘텐츠와 가벼운 기사 중심의 콘텐츠에 피로감을 보였기 때문이다.[30]

결국 버즈피드는 새로운 수익원 창출을 위해서 과감한 구조조정을 단행했다. 2017년 말 버즈피드는 회사 직원 중 8퍼센트를 해고했다. 버즈피드 CEO인 조나 페레티Jonah Peretti는 2017년 12월 자사 홈페이지를 통해 "우리의 미디어 사업은 이미 위기를 맞았다"며 "앞으로는 광고를 파는 형태가 아니라 소매업, 콘텐츠 제작 등 다른 분야에서 더 많은 수익을 창출해 낼 것"이라고 밝혔다. 더불어 2018년 한 해 동안 대대적으로 프로덕트 랩 확장 계획을 밝혔다. 미디어 회사가 아닌, 미디어 커머스 회사로서의 입지를 공고히 하겠다는 전략이다.

버즈피드는 지난 2016년 3월 한 기업을 인수했다. 벤 코프먼Ben Kaufman이 이끌던 스크롤Scroll이라는 이커머스E-commerce 제품 개발 스타트업이다. 스크롤은 이모지Emoji를 풍장 튜브로 제작해 판매했다. 또한 홈식캔들닷컴homesickcandles.com을 개설해 미국의 각 주별 특성을 담은 초를 판매하기도 했다. 고향을 그리워하는 고객들의 수요를 초로 자극해 보겠다는 기획이었다. 코프먼은 다소 특이하고 기발한 제품을 디자인해 판매하는 방식으로 수익을 만들어 냈다.

코프먼은 SNS상에 공유하고 싶게 만드는 제품, 친구와의 연결을 자극할 수 있는 상품을 만들고자 했고, 이는 버즈피드가 콘텐츠를 유통하는 방식과 일치했다. 이를 눈여겨봤던 페레티는 스크롤을 인수하기로 결정했다. 버즈피드의 스크롤 인수는 버즈피드 프로덕트 랩 설립으로 이어졌다. 프로덕트 랩의 출범은 버즈피드가 미디어 커머스 전략을 본격화한다는 신호탄이었다. 디지털 언론사가 오프라인 물품을 제작해 판매한다는 것은 지금도 상식을 넘어서는 시도다. 물론 많은 언론사가 제휴 프로그램의 일환으로 이미 제작된 제품의 판매를 중개하고는 있다. 하지만 물리적인 제품을 직접 고안하고 직접 판매하는 비즈니스는 그리 흔하지 않다.

버즈피드는 독자들이 스스로 필요를 깨닫지 못했던 제품을 만들고 소개하는 팀을 꾸려 나가기 시작했다. 버즈피드 프로덕트 랩에서 최근 탄생한 제품으로는 치즈를 녹이는 기기인 글루 건 모양의 폰두들러Fondoodler, 그리고 립글로스와 정서 불안 해소용 장난감을 결합한 립글로스 피짓 스피너Lip gloss fidget spinner 등이 있다.

매출액이 집계되지 않아 성공 여부를 확인하기 어렵지만 버즈피드는 이 수익 모델을 비교적 비중 있게 다루고 있다. 각 제품마다 별도의 웹사이트를 개설하고, 사용자들이 보다 쉽게 구매할 수 있도록 채널을 운영하고 관리한다. 물론 그 핵

심에는 콘텐츠가 존재한다.[31]

버즈피드는 바이럴viral 콘텐츠와 제품 개발을 결합하면서 판매액을 늘리고 있다. 수년간 경험을 통해서 사람들이 어떠한 영상 길이와 형식 그리고 세세한 요소에 반응을 하고 공유하게 되는지 데이터를 축적해 온 결과다. 이를 바탕으로 콘텐츠에 맞는 상품을 개발하거나, 상품에 맞는 콘텐츠를 개발하고 있다.

버즈피드의 요리 전문 버티컬 채널인 테이스티Tasty를 커머스화 한 테이스티 숍Tasty Shop의 성공이 대표적이다. 시장 연구 기업 튜뷸러 랩Tubular Labs에 따르면 테이스티는 전 세계 페이스북 사용자 4명 중 1명이 시청하고 있으며 매달 약 23억 건의 조회 수를 올리고 있다. 이들은 테이스티의 구독자가 실제로 필요로 할 만한 제품을, 테이스티 콘텐츠와 연계해서 선보였다. 테이스티의 레시피 중 원하는 부분만 선택해서 책으로 제작해 주는 '맞춤형 요리책Tasty the Cookbook', 테이스티 앱에서 선택한 레시피에 맞춰 알아서 온도를 조절해 주는 스마트 전자레인지 '테이스티 원 톱Tasty One Top'이 이들의 대표 상품이다.

버즈피드의 실험은 미디어가 신문이라는 물리적인 상품의 제조 기업에서, 다양한 제품을 개발하고 유통하는 확장된 제조 기업으로 거듭날 수 있다는 것을 보여 준다. 디지털이라는 분기점 이전까지 언론사는 대상 집단(독자)의 주목을 광고와 연결시키는 기능을 했다. 하지만 버즈피드는 독자의 주목을 제품 판매로 매개하는 기능에 주력하고 있다. 리뷰 사이트에 익숙한 수익 모델을 언론사가 직접 수행하는 도전에 나선 것이다.

버즈피드의 사례는 디지털 네이티브 미디어가 수익 모델을 고민하는 데 있어 무엇을 상상해야 하는지를 잘 보여 준다. 일반적으로 뉴스 미디어의 수익 모델은 보편 수익 모델general business model과 특화 수익 모델unique business model 두 가지로 구분할 수 있다. 보편 모델이 산업 내에서 일반적인 기초 수익원이 되는 모델을 의미한다면, 특화 모델은 개별 뉴스 미디어의 타깃 집단과 생산 집단의 가치와 강점이 집약된 모델을 뜻한다. 전자의 사례로는 광고 혹은 디지털 광고를 들 수 있다. 어느 정도의 독자만 확보되면 어떤 뉴스 미디어든 손쉽게 수익을 얻을 수 있는 유형이다. 진입 장벽이 낮아 특별한 가치를 더하지 않고도 작동하지만, 수익률이 높지 않다. 반면 특화 모델은 개별 미디어에 맞는 특별한 시장을 발견해야 하며, 진입 장벽이 높은 대신 수익률이 높다는 특징이 있다.

버티컬 시장을 공략하는 미디어일수록 특화된 수익 모델 개발에 주력해야 한다. 매스 미디어는 대량의 뉴스 소비 집단을 다양한 카테고리의 정보 생산을 통해 확보함으로써 대규모의 광고 수익을 올릴 수 있었지만, 이 모델의 주도권은 사실상 플랫폼 사업자들에게 넘어간 상황이다. 반면, 특화 수익 모델은 개별 뉴스 미디어가 확보하고 있는 세분화된 카테고리의 특별한 타깃 집단들에게 호소함으로써 차별화된 방식으로 수익을 만들어 낼 수 있다.

버즈피드의 프로덕트 랩은 그들이 지닌 타깃 집단에 최적화된 가치를 제공함으로써 수익을 만들어 낸다. 요리에 관심 있는 테이스티 독자들에겐 레시피 서적을 맞춤형으로 제공함으로써 가치를 더하고 수익을 확보한다. 국내에서도 이를 차용한 비즈니스 모델이 서서히 확산되고 있다. 블랭크TV의 미디어 커머스를 필두로, 긱블Geekble의 메이킹 키트 판매에 이르기까지 특화된 수익 모델이 서서히 모습을 드러내고 있는 상황이다. 앞으로 뉴스 미디어들이 지향해야 하는 비즈니스 모델도 마찬가지다. 특정 영역에 고착화된 보편적 비즈니스 모델에 길들여지기보다 파괴적이고 실험적인 비즈니스 모델 개발에 익숙해질 필요가 있다.

우리 기사를 베껴라 ; 프로퍼블리카

현재 저널리즘의 위기 상황은 엄밀하게는 전통적인 저널리즘 조직의 위기다. 광고와 구독을 수익원으로 삼아 온 전통 저널리즘 조직은 급변하는 미디어 환경 속에서 새로운 수익 모델을 찾는 데 어려움을 겪고 있다. 저널리즘의 공공성이라는 역할을 수행하면서 수백 명에 이르는 대규모 조직을 운영하기 위해서는 산업의 호황기에 준하는 자금의 순환이 필요하다. 서서히 감소하고 있는 전통적인 수익 모델로 위기 상황에 대처하는 동시에 기존 조직을 지탱하기란 버거운 과제일 수밖에 없다. 탐사 보도와 같은 고비용 저널리즘은 뉴스룸의 선택지에서 멀어지고 있는 것이 현실이다. 비영리 저널리즘이 다시금 조명받는 배경도 이와 무관하지 않다.

비영리 저널리즘은 저널리즘의 본령을 훼손하지 않으면서도 지속 가능성을 담보할 수 있는 유력한 대안 모델이다. 수익의 많은 부분을 개인이나 단체, 기관의 후원에 의존함으로써 자본과 권력으로부터 독립성을 유지할 수 있다는 장점이 주목받고 있다. 미국의 공공 청렴성 센터Center for Public Integrity, 텍사스 트리뷴Texas Tribune, 프로퍼블리카ProPublica, 보이스 오브 샌디에이고Voice of San Diego 등 이미 알려진 비영리 저널리즘 뉴스 조직은 상업 언론과 대등한 경쟁을 벌이며 존재 의미를 입증하고 있다.

국내에서는 뉴스타파가 비영리 저널리즘의 선례를 써 내려가고 있다. 2012년 1월 창립된 뉴스타파는 불과 5년 만에 4만 2000여 명의 개인 및 단체 후원자들을 모집, 안정적인 저널리즘 기반을 마련하는 데 성공했다. 한국 언론 중에선 최초로 글로벌 탐사 저널리즘 네트워크에 가입하는가 하면 각종 언론상을 휩쓰는 등 한국 저널리즘사에 굵직한 궤적을 남기고 있다. 뿐만 아니라 데이터 저널리즘 영역에서 독보적인 성과를 만들어 내며 디지털 저널리즘 혁신에 기여하고 있다.

미국의 프로퍼블리카는 비영리 저널리즘의 역할 모델로 거론되는 대표적인 사례다. 프로퍼블리카는 2007년 샌들러 재단Sandler Foundation의 자금으로 시작해, 100여 곳 이상의 재단 및 후원자, 개인 기부자 등의 지원을 받아 탄탄한 재정적 토대를 마련했다. 이를 바탕으로 2010년 이후 여섯 차례나 퓰리처상을 거머쥐었고, 각종 탐사 보도상을 휩쓸기도 했다. NPR 등 여러 언론들과 공조하며 탐사 보도의 새로운 장을 열고 있다는 평가는 이제 식상할 정도다.

하지만 주목해야 할 것은 단순히 프로퍼블리카의 취재력과 후원 시스템이 아니다. 프로퍼블리카는 탐사 보도와 공익 보도라는 전통적 의미의 저널리즘 역할론을 넘어서서 비영리 저널리즘의 또 다른 생태계를 조성하는 중이다. 특히 디지털 저널리즘 생태계에서 기술 고유의 속성을 십분 활용하며 저널리즘의 활동 폭을 넓혀 가고 있다. 바로 저작권에 대한 관대하고 개방적인 태도, 다시 말해 오픈소스 저널리즘이다.

프로퍼블리카의 오픈소스 철학은 '스틸 아워 스토리즈 Steal Our Stories'라는 기능에서 드러난다. 7개의 기본 조건만 지킬 경우 기사 내용을 얼마든지 재발행할 수 있다. 경쟁 언론사라도 관계가 없다. 링크를 연결하고 판매하지 않는다는 약속만 지킨다면 프로퍼블리카의 뉴스와 데이터는 얼마든지 활용 가능하다.

프로퍼블리카의 저작권 개방 정책이 미디어 생태계에 주는 함의는 분명하다. 우선 디지털 뉴스를 판매 대상으로만 삼아 온 고정된 인식에 균열을 유도한다. 기존 언론사들의 엄격한 저작권 정책은 저널리즘을 다양한 방식으로 활용하거나 확산하는 데 걸림돌이 돼 왔다. 공익적인 의제를 담은 기사는 더 많은 시민에 의해 유포될 때 의제가 확산될 수 있지만 저작권을 기초로 구상된 디지털 페이월paywall은 공공 의제에 대한 일반 시민의 접근을 차단한다. 디지털 수익 모델 발굴을 위한 자구책으로 고안된 방식이지만 저널리즘 관점에서 보면, 공적 정보의 열람을 제약하는 조건일 수밖에 없다. 프로퍼블리카와 같은 비영리 저널리즘의 기여도가 높아지면 상업 언론이 가진 근본적인 역할 수행 모델의 한계를 보완하는 데 긍정적인 도움을 줄 수 있다.

오픈소스 저널리즘은 지역 언론사나 소규모 뉴스 스타트업에는 더할 나위 없는 기회 요소다. 소규모 저널리즘 조직은 비용 측면에서 탐사, 심층 보도를 생산할 수 있는 여건이 되지 않는다. 프로퍼블리카의 탐사 보도를 비용 부담 없이 재발행함으로써 동일 주제의 뉴스에 깊이를 더할 수 있다. 더불어 새로운 독자를 유인해 초기 성장에 도움을 얻을 수 있다. 2010년 의사와 제약 회사의 유착 관계를 파헤친 프로퍼블리카의 기획 보도 〈달러스 포 닥스Dollars For Docs〉를 125개 지역 언론사들이 재발행했던 사례는 모범 사례로 거론되고 있다.

쓰고 싶은 기사에서 읽고 싶은 기사로 ; 악시오스

45세의 젊은 미디어 창업가 짐 반더하이Jim Vandehei가 10년 만에 또다시 실험에 나섰다. 그는 월스트리트저널과 워싱턴포스트, 폴리티코에 이르는 화려한 과거를 뒤로하고, 백악관 전문 기자로 정평이 나 있는 마이크 앨런Mike Allen과 함께 악시오스를 만들었다. 2007년 존 해리스John Harris와 공동 창업한 폴리티코를 떠나기로 마음먹은 것은 디지털 미디어의 미래가 다른 곳에 있다고 확신했기 때문이다.

2017년 출범한 악시오스는 창업 9개월 만에 사이트 방문자 월 600만 명과 뉴스레터 구독자 20만 명을 모으며 빠르게 성장했다. 악시오스는 뉴스 서비스가 채 시작되기도 전인 2016년 여름 1000만 달러를 투자받는 데 성공했다. 2017년 11월에는 2000만 달러를 추가로 유치했다.

반더하이는 디지털 미디어 생태계에 새로운 혁명이 시작돼야 할 시점이라고 자주 강조해 왔다. '크랩 트랩Crap Trap'이라는 표현은 상징적이다. 반더하이는 2016년 테크놀로지

전문 미디어 디 인포메이션The Information 기고문에서 이 단어를
수차례 사용했다. 디지털 미디어가 크랩 트랩에 걸려 허우적
대고 있다는 것이다. 클릭 저널리즘이라는 용어가 유행할 정
도로 디지털 미디어는 트래픽의 노예가 된 지 오래다. 반더하
이는 특정되지 않은 독자를 향해 디도스DDoS 공격처럼 클릭
유발 콘텐츠를 마구 뿌려 대고 있는 현실을 꼬집었다.

　　그는 보편적 관심general interest과 특정되지 않는 대중을
상대로 한 미디어는 사라질 것이라고 전망했다. "타임과 뉴
스위크 같은 보편적 관심을 다루는 잡지는 사라질 것"이라는
주장이었다. 2년 전 그의 예측대로 타임은 매각됐고, IBT에
인수된 뉴스위크의 미래도 여전히 장담할 수 없는 상황이다.

　　그의 지적은 한국 언론에도 대입될 수 있다. 이미 국내
언론의 다수는 통계로 드러난 각종 트래픽 지표의 순위 경쟁
에 매몰돼 그 너머의 미래를 구상하지 못하고 있다. 일단 이
트랩에 갇히게 되면 벗어나기가 어렵다. 지속적으로 흘러들
어 오는 현금 때문이다. 클릭 경쟁을 멈추는 순간 돈의 흐름이
멈추고 조직 운영이 위협받는 상황으로 치달을 수밖에 없다.

　　반더하이의 해결책은 간명하다. 가치 있는 콘텐츠의 생
산이다. 여기서 가치란 독자들에게 제공하는 가치다. 이 뻔한
답변에 그의 전략이 담겨 있다. 그는 창의적인 기업이라면 독
자들이 더 현명하게, 더 편안하고 즐겁게 살 수 있도록 돕는

것이 무엇인지 고민해야 한다고 했다. 이를 위해 기자들은 쓰고 싶은 글쓰기를 멈추고 독자들이 읽고 싶어 하는 방식의 글쓰기를 해야 한다고 말했다. 독자들이 그 제품을 좋아하고 사랑하게 된다면 기꺼이 지갑을 열 것이라는 논리다.

악시오스의 전략도 이 연장선상에 존재한다. 악시오스 선언문에는 반더하이의 구상이 명확하게 담겨 있다. 선언문의 항목은 다음과 같다. 독자를 최우선으로 삼을 것Reader first, 품위 있게 효율적으로 수익을 창출할 것Elegant efficiency, 관습적으로 콘텐츠를 생산하지 말 것Don't sell BS, 스마트한 간결성을 유지할 것Smart Brevity, 항상 완벽한 수준을 유지할 것Excellence always.

악시오스가 독자에게 다가가는 방법론을 한마디로 압축하면 '간결한 사용자 경험'이다. 악시오스의 기사 창에서 이용자에게 일차적으로 노출되는 본문은 100단어 내외다. 더 자세한 내용은 사용자가 '자세히 읽기' 버튼을 클릭할 때에만 나타난다. 모든 버튼에는 '자세히 읽기Go deeper, 398단어'처럼 얼마다 더 많은 분량을 읽어야 하는지 표기되어 있다. 독자는 핵심 내용이 무엇인지 한눈에 파악할 수 있으며, 더 많은 내용을 읽을지 말지 판단하고 선택할 수 있다.

본문마저도 긴 보고서의 요약문처럼 제공되어 독자가 중요한 정보를 찾기 위해 이리저리 스크롤을 조작할 필요가 없다. 모든 기사는 '중요한 이유Why it matters', '생각해 볼 점Our thought bubble', '전반적인 상황The big picture', '상세 내용Details'으로 정리되어 있다. '악시옴Axiom'이라고 불리는 그들만의 정해진 기사 형식과 언어는, 독자에게 뉴스를 쉽고 빠르게 이해할 수 있는 틀을 제공한다. 동시에 모바일 환경에 적합한 기사 발행 방식을 제시하고 있다. 반더하이는 "악시오스 사이트를 디자인하는 과정에서 아이폰만 봤다"고 할 정도로 모바일 최적화에 힘을 쏟았다.[32]

악시오스는 광고 형태조차 독자 최우선 가치를 담고 있다. 악시오스는 배너나 팝업 같은 전통적인 광고 모델을 버리고 네이티브 광고를 핵심 수익 모델로 선택했다. 독자를 귀찮게 하는 대신, 광고를 기사가 모여 있는 카테고리에서 분리하여 '스페셜 피처Special Features'라는 메뉴에서 네이티브 광고 시리즈물을 제공한다. 대표적으로 '스마터 패스터Smarter Faster'는 JP모건과 함께 제작하는 네이티브 광고 시리즈물이다. 2017년 한 해 동안 JP모건을 비롯한 10곳의 대형 파트너사가 광고주로 참여했고, 2018년에는 보잉을 포함한 5곳이 참여할 예정이다.[33] 론칭 7개월 차에 벌어들인 네이티브 광고 수익이 1000만 달러(약 107억 원)에 달할 정도로 선전하고 있다.

철저한 독자 중심 원칙에 따른 결과, 악시오스는 뉴스레터 또한 수익 모델로 만들어 낼 수 있었다. 악시오스의 뉴스레터 중 가장 대표적인 것은 아침에 발송하는 '악시오스 AM'

과 오후에 발송하는 '악시오스 PM'이다. 공동 창업자인 마이크 앨런은 악시오스의 원칙에 따라 매일 직접 두 뉴스레터를 작성한다. 악시오스 뉴스레터의 성공에는 유명 기자인 동시에 폴리티코에서 뉴스레터 '플레이북Playbook'을 성공적으로 선보인 앨런 개인의 명성도 작용했다. 하지만 그가 악시오스 뉴스레터를 쓰면서 가장 중시하는 것은 자신의 분석과 통찰을 제공하는 것 못지않게 간결성을 유지하는 것이다. 그는 가장 중요한 뉴스를 항상 10개 이내로 선정하여 악시옴 항목으로 요약하고 정리한다. 악시오스는 출범 1년 만에 26만 명의 구독자를 모았으며, 광고주들이 매주 악시오스 AM에만 지불하는 비용이 7만 5000달러다.[34] 물론 악시오스는 '규모를 위한 규모'를 좇진 않겠다고 했지만, 수익 모델을 작동시키기 위한 적절한 독자 규모의 구축은 이들에게도 분명 중요한 과제일 수밖에 없다.

사실 현재 서비스되는 형태만 봤을 때는 간결한 요약 중심의 콘텐츠 스타일을 제외하면 악시오스만의 특별함을 발견하기란 쉽지 않다. 모바일에 최적화된 사이트의 구조도 그렇게 색다르진 않다. 다만 이를 철저한 원칙 아래 구현하고 성공시킬 수 있는 미디어는 많지 않다. 모바일이라는 소비 구조 속에서 독자들에게 최적화된 콘텐츠 모델을 개발하고 있다는 스토리 구조 실험은 평가받을 만하다. 여기에 곧 시작될 구독 기반 서비스의 출범까지 더한다면 악시오스를 바라보는 외부의 시선은 달라질 것이 분명하다.

회의적인 수용자의 등장과 기자의 과제

대다수 기자들은 기술 환경의 변동에 둔감하다. 시시각각 등장하는 새로운 테크놀로지 앞에 무력감을 호소하다가도 이내 안도감으로 회귀한다. 정보와 스토리가 지닌 콘텐츠의 힘이 기술의 힘을 압도할 수 있었기 때문이다. 기술은 전적인 의존 대상이 아니라 활용할 수 있는 대상이기에 그 공포감은 오래 지속되지 않는다.

그러나 수용자는 다르다. 수용자는 기자들에게 먼저 다가가지 않는다. 선택하고 결정할 뿐이다. 언론이 새로운 미디어 환경에 적응하지 못하는 까닭은 변화하는 수용자의 존재를 인식하지 않기 때문이다. 수용자에 비하면 기술은 부차적이다. 기술을 받아들이는 것도 이를 배척하는 것도 실은 수용자다. 침묵하는 수용자의 변화를 읽지 못하는 사이, 저널리즘의 위기는 가중된다.

2017년은 페이크 뉴스가 저널리즘 담론을 지배한 해였다. 의도된 거짓 정보disinformation가 소셜 미디어라는 기술 플랫폼의 네트워크를 넘나들며 여론을 조작하고 기만했다. 그 결과 정보 생산자뿐 아니라 이를 유통하는 기술에 대한 신뢰도 추락했다. 인공지능이 정보 필터링의 해결사라는 신화는 벌써부터 흔들리고 있다.

이제 저널리즘이 가야 할 방향은 분명해졌다. 붕괴한 지점에서 신뢰를 다시 세우는 것이다. 기자들이 주시해야 할 것은 혁신적이라 평가받는 미디어의 전략 동향이 아니다. 그 전에 수용자들의 인식 변화에 집중해야 한다. 수용자의 태도가 바뀐 근본적인 원인을 알아야만 전략 또한 수립할 수 있다. 수용자들은 뉴스도 신뢰하지 않지만 페이스북이 뿌려 대는 정보의 배열 방식도, 네이버 머신러닝의 알고리즘도 믿지 않는다. 뉴스를 비롯한 정보에 대한 불신은 기술에 대한 회의감으로 점차 번져 가는 중이다.

저널리즘을 위기에서 구해 내기 위한 두 가지 과제가 저널리스트들에게 주어졌다. 그 한 가지는 수용자의 언어를 이해하는 것이고 다른 한 가지는 저널리즘에 대한 불신을 해소하는 것이다. 전자가 수용자들에게 도달하는 전략이라면, 후자는 수용자와 교감하기 위한 조건이다. 기술만큼이나 수용자의 변화에 둔감했던 저널리스트들에겐 무겁고 불편한 숙제다. 특히 수용자의 회의적 태도는 웬만한 뉴스도 신뢰하기 어렵게 만드는 방어 기제로 작용해 저널리즘의 신뢰 구축에 크나큰 장벽이 되고 있다. 따라서 관성적으로 유지해 온 엘리트 의식을 내려놓지 않는다면 과제 해결은 어렵다. 회의적인 수용자들의 태도와 그들이 가진 힘을 받아들이는 데에서부터 출발해야 한다.

대화하는 저널리즘

저널리즘의 정의는 역동적이다. 저널리즘의 보편적인 정의는 '정보를 생산하고 평가하며 유통하고 전달하는 일체의 행위'지만, 미디어가 처한 조건, 사회적 맥락에 따라 저널리즘은 다시 정의된다. 영국의 가디언이 1800년대 초 맨체스터에서 벌어진 피털루Peterloo 대학살 과정에서 등장한 것처럼 저널리즘은 저마다의 사회 역사적 맥락 속에서 미션과 비전을 정립하고 정의의 챕터를 써왔다. 포토저널리즘, 비디오 저널리즘, 디지털 저널리즘처럼 한 사회가 당면한 복합적 상황을 해결하기 위해 수많은 수식어가 탄생하기도 한다.

이처럼 저널리즘의 전형은 시대가 처한 상황과 긴밀히 관계를 맺는다. 하지만 때때로 시대가 호출한 새로운 저널리즘의 유형은 저널리즘의 유일한 가치이자 정의로 받아들여지기도 한다. 감시견 저널리즘, 공공 저널리즘, 시민 저널리즘은 시대가 호출한 저널리즘의 한 유형이었지만 저널리즘의 정의를 축소시켰다. 긴 시간 동안 저널리즘은 정보와 의견의 교환, 전달이라는 보편적 역할보다도 '권력과 정부를 비판하고 감시하는 역할'을 할 것으로 기대되었다. 그 결과 저널리즘의 전통적인 정의는 다소 좁은 영역에 고착되었다.

그러나 이제 저널리즘의 전통적인 정의는 새로운 기술적 환경으로 도전받고 있다. 정확한 정보를 제공함으로써 교양 있는 시민을 양성한다는 전통적 저널리즘의 정의와 역할론은 현재의 미디어 환경에 비춰 보면 빈틈이 적지 않다. 기존의 저널리즘은 정보의 독점적 생산과 일방향성이라는 미디어 환경의 전제 위에서 조각됐다. 이로 인해 저널리즘의 미션은 일방적이었고 계몽적일 수밖에 없었다. 상대적으로 정보량이 적고 무지했던 수용자들에게 지적인 우월성을 바탕으로 교양과 교육을 제공하고 진리의 교리를 설파하던 기존의 저널리즘은 정보량의 폭증 시대엔 철 지난 교만에 불과하다.

디지털 미디어 환경에서 저널리즘은 강의가 아니라 대화로 정의돼야 한다. 강의가 일방향성을 상징한다면 대화는 인터넷으로 파생된 기술적 조건의 특성을 상징한다. 저널리즘이 대화로 정의되기까지 두 가지의 조건이 영향을 미쳤다고 볼 수 있다. 우선 사회 문화적 측면에서 보면, 수용자가 생산자의 지위를 얻게 되면서 전통 기자와 시민 간의 협업이 필수적인 과제로 떠올랐다. 특정 영역에서 기자보다 더 우월한 지적 교양을 지닌 시민들이 저널리즘에 대한 회의를 품고 생산자로 참여하게 되면서, 저널리스트들은 현명한 시민들과의 대화와 협력에 적극적으로 관여할 수밖에 없게 됐다.

기술적 측면에서는 인터넷으로 시작된 미디어의 인터페이스 변화가 대화를 촉진하고 있다. 인터넷은 본질적으로 상호 작용성을 갖추고 있다. 하이퍼텍스트라는 속성에서 출발해 다양한 형태의 인터랙션이 비교적 손쉽게 구현됐고, 수용자들은 이를 자연스럽게 학습하고 받아들이게 됐다. 라디오의 진화 모델로서 AI 스피커나 챗봇chat bot 뉴스 시스템 등은 상호 작용성이 새로운 기술로 얼마나 확장될 수 있는가를 잘 보여 주는 사례다.

이제 저널리즘은 교양 있는 시민을 양성하기 위해 정보를 강의처럼 일방적으로 제공하는 근대적 정의에서 탈피해야 하는 시점에 서 있다. 저널리즘은 수용자를 생산자의 역할까지 수행하는 사용자로 바라봐야 하며, 이를 전제로 가르치기보다 대화하면서 신뢰를 재확립해야 한다.

저널리즘, 기술, 비즈니스의 결합

오픈소스 소프트웨어 기업들이 돈을 버는 방식은 흥미롭다. 소프트웨어 기업이지만 소프트웨어 그 자체를 팔지 않는다. 비트화된 소스 코드를 누구나 쓸 수 있도록 무료로 개방한다. 능력만 된다면 누구든 소프트웨어를 사용할 수 있다. 그럼에도 그들은 돈을 번다. 레드햇Red Hat이라는 리눅스 오픈소스 소프트웨어 기업의 연간 매출액은 2조 원이 훨씬 넘는다.

이들이 판매하는 건 따로 있다. 서비스와 가이드다. '이럴 땐 이렇게 해보세요'라는 오픈소스 관련 지식과 정보, 교육 코스를 주기적으로 제공하고, 어려울 땐 오픈소스 전문 개발자가 찾아가 도와준다. 소스 코드를 더 잘 쓸 수 있도록 안내해 주는 재화와 용역을 제공하고 구독료를 받는 식이다. 소프트웨어는 공짜지만 사용 설명서는 유료인 셈이다.

뉴스 서비스도 오픈소스를 닮았다. 디지털 공간에서 뉴스는 무료다. 고품질 저널리즘은 유료여야 한다는 목소리가 많지만, 독자들은 여전히 무료를 선호한다. 와이어드Wired의 공동 창업자 케빈 켈리Kevin Kelly의 말을 빌리자면 "새로운 초포화 디지털 우주에서는 사본이 너무나 흔하고 저렴"하다. 그럼에도 뉴스는 수익을 만들어 내고 있다. 광고 수익은 줄어들고 있지만 디지털 구독은 늘어난다. 무료로 보기로 마음먹기만 하면 구독료를 회피할 수 있는 방법이 얼마든지 있는데도 말이다.

힌트는 뉴욕타임스에서 발견할 수 있다. 뉴욕타임스는 2016년 10월 말 디지털 구독자를 늘리기 위해 서비스 저널리즘을 확대한다고 발표했다. 내용은 이렇다. 뉴욕타임스를 지탱시키는 수익 모델은 디지털 구독인데, 구독 확대의 핵심 변수 중 한 가지가 서비스 저널리즘이라는 것이다. 트럼프 효과 Trump bump[35]가 사라진 이후 뉴욕타임스는 디지털 구독자를 증대시키기 위해 골몰해 왔다. 이 과정에서 나름의 수익 공식을 확인했는데, 페이스북에 더 많은 기사를 노출하는 것 그리고 서비스 저널리즘과 인터랙티브 스토리를 확대하는 것이다.

뉴욕타임스가 실행 중인 서비스 저널리즘의 요체는 가

이드 코너Well-Guides다. '잘 늙는 법', '아이들을 위한 마음가짐', '건강한 심장을 위한 7가지 습관' 등 연성 콘텐츠가 아카이브처럼 쌓여 있다. 버즈피드에서나 봄직한 제목을 달고 있는, 말그대로 사용 설명서 같은 스토리들이다. 가이드는 뉴욕타임스 내에서 가장 많이 읽히는 기사군에 속한다. 일반적인 뉴스보다 평균 두 배 이상 방문자 수가 많다. 일상에서 지친 독자들이 가이드 기사를 주로 찾는다고 한다. 뉴욕타임스 스마터 리빙 총괄 에디터 캐런 스코그Karron Skog는 "우리가 하고 있는 작업의 핵심은 뉴스이고 탐사 보도다. 하지만 하루의 다른 시간대, 다른 독자들에겐 다른 스토리로 호소해야 한다"고 말한다.

전통적인 기자들은 서비스 저널리즘 경향에 우려를 표한다. 권력을 감시하고 비판하기도 모자란 마당에 한가하게 연성 기사나 써댈 수 있느냐는 것이다. 국내라고 사정이 다르진 않다. 지사志士 저널리즘이 지배해 온 한국 저널리즘의 경험은 서비스 저널리즘이 설 자리를 축소시킨다. 그러나 저널리즘은 오로지 감시견 저널리즘만을 위해 존재하지 않았다. 독자의 알 권리를 충족시키는 보도만으로 성장해 오지도 않았다. 오락과 흥미, 유익한 정보는 역사적으로도 저널리즘을 지탱하는 또 다른 축이었다.

서비스 저널리즘은 오락과 정보 영역을 포괄한다. 소비주의와 시민권도 넘나든다. 여기에 인터랙티브라는 기술적,

형식적 요소도 결합된다. 비즈니스 전문 뉴스 스타트업 쿼츠의 케빈 딜레이니Kevin Delaney 편집장은 "저널리즘에는 크게 두 가지 역할이 있다. 하나는 권력 견제와 알 권리 충족이고, 다른 하나는 오락 기능이다. 전통적으로는 종종 후자를 인정하지 않는 경향이 있다"고 말한다. 서비스 저널리즘을 경시하는 풍조를 두고 던진 얘기였다. 뉴욕타임스의 캐런 스코그 총괄 에디터도 마찬가지다. "서비스 저널리즘에 딴죽을 거는 기자들이 있다. 하지만 뉴스와 서비스 간의 갈등은 존재하지 않는다"라고 말한다. 트럼프 비판 기사를 열독하는 독자들이 저녁엔 '잘 늙는 법'에 관심을 기울일 수 있다는 얘기다.

사회학자 울리히 벡Ulrich Beck은 개인 또는 기존의 정치 구조에서 소외됐던 그룹의 정치 참여를 하부 정치subpolitics라는 개념으로 제시했다. 하부 정치의 정치 참여는 커뮤니케이션을 바탕으로 이루어진다.[36] 개개인이 처한 위기를 이해하고 극복을 돕기 위해서는 폭넓은 개입과 대화가 선행돼야 한다. 이를 통해 개인 일상의 어려움과 불만 또한 사회화될 수 있다.

그동안 전통적 저널리즘은 이런 영역을 소홀히 해왔다. 서비스 저널리즘은 벡이 강조하는 하부 정치의 순기능을 돕는다. 이 맥락에서 서비스 저널리즘은 비즈니스 친화적이지만 다분히 정치적이기도 하다. 서비스 저널리즘은 일상적 관점에서부터 공중에게 접근해 대화를 시도한다. 수용자들은 이를 통해 공동체와 협력하는 방법을 학습하고 공적 문제에 대한 참여 계기를 얻을 수 있다. 뉴욕타임스가 가이드 저널리즘이라고 명명한 배경도 이와 관련이 깊다. 가이드 저널리즘은 공중이 당면한 실재적 문제를 해결하는 데 도움을 줌으로써 저널리즘과 시민이 상호 작용하는 가능성을 열어 보였다.

대화라는 수단에서 저널리즘과 민주주의를 연결하는 고리를 발견할 수 있다. 민주주의는 정보 그 자체로 지탱되지 않는다. 민주주의는 공유된 지식을 이해하고 활용하며 공적 책무에 참여하는 공중이 늘어날 때 비로소 성취될 수 있다. 매일매일 쏟아지는 권력에 대한 감시와 비판이 민주주의에 직접적으로 기여할 것이라는 고전적 믿음은 내려놓아야 한다. 이러한 보도가 정치나 제도로부터 시민을 괴리시키고, 혐오를 조장하며, 나아가 극단적인 갈등을 초래할 수도 있다. 권력 비판 자체가 틀렸다는 것이 아니라, 공중의 대화를 염두에 두지 않은 채 이루어지는 때려잡기식 보도와 감시 행위가 초래하는 역기능을 우려하는 것이다.

저널리즘은 그저 공중이 필요한 정보를 일방적으로 전달하는 역할에 그쳐서는 안 된다. 그것은 어디까지나 독백에 불과하다. 롭 앤더슨Rob Anderson은 "직선적이고 일방적인 전달식 뉴스 보도는 어떤 의미에서건 저널리즘으로 정의될 수 없다"고 했다.[37] 아무도 요청하지 않거나 응답을 기대할 수 없는 메시지는 저널리즘이 될 수 없다는 맥락이다. 수용자가 그러한 메시지를 요구했는지, 그 내용이 수용자에게 반드시 필요한 것인지, 그동안 전통 저널리즘은 충분히 질문을 던지지 못했다.

서비스 저널리즘을 주목하는 이유도 여기에 있다. 서비스 저널리즘은 저널리즘이 민주주의에 공헌할 수 있는 접근법을 새롭게 제시했다. 어쩌면 복원했다고 표현하는 것이 어울릴 수 있다. 공중의 관심사를 적극적으로 탐색, 동원하고 그들이 이해할 수 있는 방식으로 전달하며, 이를 통해 공중이 직접 공동체에 참여할 수 있는 방안을 가이드하는 것. 그것이 서비스 저널리즘이며 저널리즘이 민주주의에 도움을 주는 방식이다.

저널리즘과 비즈니스의 결합도 이러한 관점에서 모색할 필요가 있다. 저널리즘에 대한 상상력과 포용력을 확장할 필요가 있다. 지금이 그 시점이다. 레드햇이 오픈소스 생태계를 키워 나가면서도 3조 원 이상의 매출을 올리고 있다는 사실은 디지털 시대엔 낯설지 않은 풍경이다. 무료로 제공되는 소스코드는 해석과 안내가 결합되면서 가치가 더해진다. 감시견 저널리즘에 서비스 저널리즘이 덧붙어 양립한다면 저널리즘의 가치는 한층 높아질 수 있다. 저널리즘이 민주주의에 기여하는 관계망 또한 강화될 수 있다. 포털에 대한 비판도 중요하지만 저널리즘이 민주주의를 고양하면서 동시에 지속 가능한 모델을 탐색하는 데 우리는 더 많은 시간을 할애해야 한다.

주

1 _ 검색한 정보를 클릭하면 정보를 제공한 원래의 사이트로 이동하는 방식을 말한다. 뉴스의 경우 검색한 뉴스를 클릭하면 해당 언론사의 홈페이지로 연결되는 방식이다. 반면, 인링크는 뉴스를 포털 사이트에서 보여 주고 댓글도 포털 사이트에서 달게 하는 방식이다. 〈아웃링크〉, 《한경 경제용어사전 - 네이버 지식백과》

2 _ Raymond Williams, 《Keywords: A Vocabulary of Culture and Society》, Oxford University Press, 1985.

3 _ 제임스 베니거(윤원화 譯), 《컨트롤 레벌루션: 현대 자본주의의 또 다른 기원》, 현실문화, 2009.

4 _ 호세 오르테가 이 가세트(황보영조 譯), 《대중의 반역》, 역사비평사, 2005.

5 _ 미 의회의 통계를 보면, 발행된 신문 브랜드의 수는 1910년 1만 7083개로 정점을 찍은 뒤 서서히 감소하기 시작했다.

6 _ 새로운 대중의 형태를 지시하는 용어들을 들자면, 요차이 벤클러(Yochai Benkler)가 제시한 증대된 역량의 개인들, 베리 웰먼(Barry Wellman)이 제시한 네트워크 개인주의, 안드레아스 비텔(Andreas Wittel)이 제시한 네트워크 사회성 등이 있다. 대중을 대체하려는 이러한 개념들은 네트워크 정보 사회라는, 이전과는 구별되는 사회 체계의 등장을 전제로 한다.

7 _ Katharine Viner, 〈How technology disrupted the truth〉, 《The Guardian》, 2016. 7. 12.

8 _ 이 글에서 미디어 혹은 디지털 미디어는 디지털 뉴스 미디어를 주로 상정했다.

9 _ 장윤희, 〈카카오, 다음뉴스 전면 개편…뉴스 요약 기능 선보여〉, 《뉴시스》, 2016. 11. 4.

10 _ Taylor Lorenz, 〈2 college students built a tool to fight fake news on Facebook using artificial intelligence〉, 《Mic》, 2017. 3. 19.

11 _ 오세욱·이소은, 〈동영상은 뉴스의 미래인가〉, 《2016 해외 미디어 동향 - 내용과 형

식을 위한 디지털 스토리텔링 도구〉, 한국언론진흥재단, 2016. 11. 30.

12 _ 채반석, 〈네이버, 연 100억 원 규모 '구독펀드' 내놓는다〉, 《블로터》, 2017. 7. 5.

13 _ Francesco Marconi, Alex Siegman and Machine Journalist, 〈The Future of Augmented Journalism: A guide for newsrooms in the age of smart machines〉, AP insight, 2017.

14 _ Nic Newman, Richard Fletcher, Antonis Kalogeropoulos, David A. L. Levy and Rasmus Kleis Nielsen, 〈Digital News Report 2018〉, Reuters Institute for the Study of Journalism, 14, 2018.

15 _ 〈Google, Facebook Increase Their Grip on Digital Ad Market - eMarketer's latest estimates show balance tipping〉, 《eMarketer》, 2017. 3. 14.

16 _ 페드로 도밍고스(강형진 譯), 《마스터 알고리즘》, 비즈니스북스, 2016.

17 _ 제임스 베니거, 같은 책.

18 _ Martin Eide and Graham Knight, 〈Public/private service: Service journalism and the problems of everyday life〉, 《European Journal of Communication》, 1999.

19 _ Martin Eide and Graham Knight, 같은 글.

20 _ 데이터의 소유자나 독점자 없이 누구나 쉽게 데이터를 생산하고 인터넷에서 공유할 수 있도록 한 사용자 참여 중심의 인터넷 환경. 인터넷상에서 정보를 모아 보여 주기만 하는 웹 1.0에 비해 웹2.0은 사용자가 직접 데이터를 다룰 수 있도록 데이터를 제공하는 플랫폼이 정보를 더 쉽게 공유하고 서비스 받을 수 있도록 만들어져 있다. 블로그(Blog), 위키피디아(Wikipedia), 딜리셔스(del.icio.us) 등이 이에 속한다. 〈웹2.0〉, 《두산백과 - 네이버 지식백과》

21 _ 〈Our Path Forward〉, The New York Times, 2015. 10. 7.

22 _ 백욱인, 〈디지털 복제 시대의 지식, 미디어, 정보〉, 《한국언론정보학보》, 2010.

23 _ 최형욱, 〈구글·아마존·페이스북, 돈 못 버는 하드웨어에 집착하는 이유〉, 《매일경제》, 2017. 8. 18.

24 _ 김인경, 〈구글, "순수한 하드웨어 혁신 시대는 끝났다"〉, 《블로터》, 2017. 11. 28.

25 _ 레브 마노비치(이재현 譯), 《소프트웨어가 명령한다》, 커뮤니케이션북스, 2014.

26 _ 신동희·김희경, 〈사용자 경험 기반 스토리두잉의 작동원리에 관한 연구〉, 《한국디지털콘텐츠학회 논문지》, 2015.

27 _ 디지털 마케팅에서 두 가지 이상의 시안 중 최적안을 선정하기 위해 시험하는 방법. 일반적으로 웹페이지나 앱 개선 시 사용자 인터페이스(UI/UX)를 최적화하기 위해, 실사용자들을 두 집단으로 나누어 기존의 웹페이지 디자인 A안과 새로 개선된 B안을 각각 랜덤으로 보여 준 후, A와 B중 선호도가 높게 나온 쪽으로 결정한다. 〈에이비 테스팅〉, 《IT용어사전 – 네이버 지식백과》

28 _ Shannon Bond , 〈Bezos-owned Washington Post offers technology to other publishers〉, 《Financial Times》, 2014. 12. 30.

29 _ 군중(crowd)과 아웃소싱(outsourcing)의 합성어로 일반 대중이 기업 내부 인력을 대체하는 현상을 일컫는 것으로 칼럼니스트 제프 하우(Jeff Howe)가 만든 용어. 소셜 네트워킹 기법을 이용하여 제품이나 지식의 생성과 서비스 과정에 대중을 참여시킴으로써 생산 단가를 낮추고, 부가 가치를 증대시키며 발생된 수익의 일부를 다시 대중에게 보상하는 새로운 경영 혁신 방법이다. 〈크라우드 소싱〉, 《IT용어사전 – 네이버 지식백과》

30 _ 김지현, 〈페이스북·NYT에 치인 버즈피드, 결국 장사 나섰다〉, 《머니투데이》, 2018. 3. 2.

31 _ Erin Griffith, 〈BuzzFeed Wants to Sell You Stuff〉, 《Fortune》, 2016. 11. 21.

32 _ 한운희, 〈'폴리티코' 창업자의 새로운 도전 '악시오스': "똥구덩이 같은" 뉴스 미디

어 스타트업의 대안〉,《신문과 방송》, 2018. 1.

33 _ 한운희, 같은 글

34 _ Steven Perlberg, 〈Be Smart: Mike Allen Wrote The Rules Of Washington And Now Donald Trump's Destroying Them〉,《BuzzFeed News》, 2018. 1. 26.

35 _ 미디어들이 트럼프 대통령에게 욕을 먹으면 오히려 구독률이나 시청률이 올라가는 현상을 일컫는 말이다. 트럼프 당선을 전후하여 가짜 뉴스 논란이 확대 되면서 신뢰할 만한 뉴스에 대한 수용자(audience)들의 요구(needs)에 불이 붙은 현상을 일컫는다. 2017년 2월 "망해 가는 언론사"라며 트럼프 대통령이 뉴욕타임스를 비난하자 마크 톰슨(Mark Thompson) 뉴욕타임스 회장은 "대통령조차 가짜 뉴스에 현혹된 모양이다. 우리 구독자 수는 최근 급증하고 있다"고 반박했다. 마크 톰슨 회장은 이를 '구독자 효과(subscription bump)'라고 불렀다. 트럼프의 규제 완화를 기대해 주식 시장이 일시 상승했던 '트럼프 효과(Trump bump)'에 빗댄 말이다. 위재천, 〈광고 의존하는 미디어는 망한다…미디어의 미래는?〉,《KBS NEWS》, 2017. 6. 14.

36 _ øyvind Ihlen, Magnus Fredriksson, Betteke van Ruler, 〈On Beck: Risk and subpolitics in reflexive modernity〉,《Public Relations and Social Theory: Key Figures and Concepts》, Routledge, 2009.

37 _ 롭 앤더슨·로버트 다덴·조지 킬렌버그(차재영 譯),《저널리즘은 어떻게 민주주의를 만드는가》, 커뮤니케이션북스, 2006.

북저널리즘 인사이드　　　　뉴스의 경쟁자는
　　　　　　　　　　　　　　　　누구인가

언론의 위기를 우려하는 목소리 속에서도 뉴스는 지속적으로 소비되고 있다. 어쩌면 지금은 인류 역사상 가장 많은 뉴스가 읽히는 시대다. 다만 아침마다 배달되는 신문을 받아 보거나, 정해진 시간에 텔레비전 앞에 앉아서 방송을 보는 사람이 줄었을 뿐이다. 사람들은 새로운 기술이 열어 놓은 새로운 환경에서 언제, 어디서든 뉴스를 접하고 있다.

모바일 환경에서 뉴스는 수많은 콘텐츠 가운데 하나에 지나지 않는다. 넘쳐나는 콘텐츠 속에서 독자들의 선택 기준은 각자의 필요와 흥미다. 속보나 단독 기사라는 기준은 의미를 잃고 있다. 결국 뉴스의 경쟁자는 뉴스가 아니다. 미디엄과 스팀잇 같은 콘텐츠 플랫폼에 실린 글일 수도, 유튜브 영상이나 인스타그램 이미지일 수도 있다.

언론사가 새로운 경쟁자들에 맞서려면 저널리즘의 정의를 다시 써야 한다. 뉴스를 발행하는 것만으로 독자와 만날 수 있었던 시절의 광고 수익은 이제 언론의 생존 전략이 될 수 없다. 워싱턴포스트가 소프트웨어를 파는 테크놀로지 기업으로 변신한 이유, 버즈피드가 장난감과 립글로스를 합친 희한한 제품을 파는 이유도 여기에 있다.

저자는 저널리즘 혁신을 위해서는 겉으로 보이는 파격적인 시도보다 사용자 경험에 대한 이해가 중요하다고 강조한다. 대중 매체 신화 속 대중은 더 이상 존재하지 않는다. 미디어는 이제 다양하게 분화된 개인을 상대해야 한다. 나아가 개인의 경험과 사회의 구조를 바꿔 놓는 기술에 대한 이해를 놓쳐선 안 된다. 수용자에 대한 이해 없이 저널리즘, 비즈니스, 기술의 결합은 불가능하다.

"나이키의 경쟁 상대는 닌텐도"라는 말이 나온 지 20년이 되어 간다. 나이키는 2000년대 성장률 둔화의 원인을 닌텐도, 소니 같은 IT 기업의 약진에서 찾았다. 주 고객의 60퍼센트를 차지하는 청소년층이 스포츠 대신 게임에 몰두하면서 스포츠 용품 구매가 감소했다는 분석이었다. 사용자 경험이 변하면 업의 본질 또한 달라질 수 있다. 사용자를 둘러싼 환경이 달라지면서 서비스 간 경계가 무너지고 산업의 융합이 촉발되기도 한다.

저널리즘은 지금 변화의 기로에 서 있다. 독자의 경험과 환경의 변화에 주목하고 틀을 깨는 상상을 할 수 있을 때, 저널리즘은 생존할 수 있다.

한주연 에디터